JN034543

仏教の深層心理

迷いより悟りへ・唯識への招待

太田久紀著

有斐閣選書

はじめに

仏教は、四世紀から五世紀にかけて、人間の深層心理への自覚を深め、そこに迷いより悟りへの道をさぐり、それを論理的に組織化しました。それを唯識(ゆいしき)仏教といいます。

この本は、「唯識への誘い」というような気持で書いたものです。

唯識とは、仏教の一つの学派ですが、特に人間の心理や認識の問題を集中的に掘りさげていった仏教です。心理や認識の問題を掘りさげていって、深層意識を自覚的に把握し論理化したのも唯識でありました。

近ごろ、いろいろな部門から関心や興味を持たれ再認識されつつありますが、それでもまだ知られることの少ない仏教の一つでありましょう。書店の仏教書の棚を探してみても、一冊もみつからないのがふつうですし、ようやく手に入れてみても、今度は、専門的な学術論文で、難解なものがほとんどでした。なかなか唯識という仏教には触れる機会がなかったのです。

しかし、その内容は、現代の私たちに非常に理解しやすいものではないかと思うのです。

それでこの本は、入口までお誘いしよう、門の前まで御案内しようという気持でとりかかったものです。しかし、どれだけその目的を達しえたかというと、自信がなくなります。私の力ではとうていなしえない難問題であったようです。また、いろいろな事情から割愛せざるをえない所がたくさんありました。その意味でも、これは「お誘い」であって、入門書でも概論書でもありません。

もしも少しでも興味をお持ち下さる方がありましたら、巻末に挙げておきました参考書によってどうぞ門の中に入って下さい。そういう方がおひとりでもありましたら私は幸いであります。

唯識は、確かに煩雑な面もありますし、かなり慣れを必要とする仏教だといえるかもしれません。明治・大正・昭和にわたって多くの唯識の学徒を養成された法隆寺の佐伯定胤（さえきじょういん）和上は、唯識がわからぬというと、千日間聞きながせといわれたそうですが、そういう面を唯識は備えているといわねばならないかもしれません。

しかし、これだけ多くの活字文化の中にくらしている私たちにとって、それは決して難解難入のものであるはずはありません。むしろ違和感の少ない、理解しやすい仏教ではないかと思います。

それは、唯識は、合理的に組織的・体系的に秩序正しく論述されているからです。筋道に従って、こっちも頭を働かしていきさえすれば、少なくとも、文章に表わされた主張を理解することはできます。論理的知性の理解で、唯識のすべてが証（わか）るとはむろんいえないとしても、ある線までは誰でもが到達できるといってまちがいではありますまい。

また、扱われているのが、人間の心理や認識なのですから、いわばそこで問われているのは私たち自身のことであります。わからないはずがないのです。

昭和五十七年（一九八二）十一月十三日は、唯識を学ぶものにとっては意義深い慈恩大師の千三百年忌にあたりました。はじめはその日までにこの本を完成するつもりでいたのでしたが、私の事情で、まにあいませんでした。

有斐閣の新井宣叔氏は、私にこの本を書くことをおすすめ下さり、それ以後もひとかたならぬお世話になりました。校正・印刷・製本などで多くの方々のお力をえています。心よりお礼申上げます。

おわりに、何一つ恩に報ゆることのなかった父母と、妻の両親の墓前にこれを捧げたいと思います。

昭和五十七年十二月

太田久紀

目次

目次

第一章　こころの仏教

月光菩薩（東大寺三月堂蔵）

1　唯識仏教とは

唯識(ゆいしき)仏教は、
人間存在の有限性と
人間認識の限界性と
深層心理とそこにひそむ利己性の実態と
を誤魔化したり妥協したりすることなく、真正面から真摯に追求し、自己を求め、真実の自己のすがたを、こころの省察を軸にしながら探索しました。

現代心理学が、人間の心理を追究する目的や方法と同じとはいえないでありましょうが、仏教もまた二千数百年にわたって、人間の心理を凝視し省察して、そのこころの実態を捉え、そこに救いや悟りを模索してきました。仏教とは、こころの宗教であると呼ぶにもっともふさわしい教説であるといえます。

超越者による救済を拒絶した仏陀にとって、自己への沈潜による方法のみが残された唯一の道であったのでした。あとにつづく学僧たちもこころへの考察を深めていきました。仏教の歴史は、こころの探究の歴史でもあります。

内省を通して、深層心理・深層意識とも呼ぶべき意識下の領域にも逢着しました。少なくも四、五世紀にはその深層の領域が論理化され組織化されて自覚されているのです。

そのような仏教の流れの中に、ひときわその面に心血をそそいだ一つの流れがありました。

それが唯識仏教であります。

この本では、私たちの祖先たちが、唯識という分野を通して、どのように人間心理の探究を試みたかをたどっていきたいと思います。

人間存在の有限性――仏陀の言葉では、〈諸行無常〉〈諸法無我〉といわれた人間の空無性・不在性の一面を、もっともよく論理化したのは、龍樹に代表される中観派の仏教でありました。唯識は、当然その伝統を継承していますが、継承しながらそれを、〈阿頼耶識〉を中心としたこころの空無性としてこころの省察を深めていきました。

認識の有限性や、深層心理や利己性の問題も、唯識仏教が人間探究の主要課題として真正面にすえた問題でありました。

人間の認識が、どんなに存在性や利己性や先入観に左右され固定化され狭小化されているか。人間が、どのように深い暗黒の自己を背負っているか。

唯識は、それをあきらかにしていこうとします。それによって、新しい自己の道を見出そうとしたのでありました。

「ただこころのみ」の世界

私たちにとってもっとも確実な事実は何か。

それは、こころでありましょう。

私が生きているということを自覚するのはこころですし、もっとも確実なものは何かと考えるのもこころそれ自体です。こころはほんとうに確実なのかどうなのかと疑うのもこころ以外にはありません。いま手に持っている本を読むのもこころですし、その本がほんとうに存在しているかどうか考えたり疑ったりするのもこころです。回想にふけったり、未来に夢をえがくのもこころです。

自分を知ることも、周囲のものがそこに在るのを認識するのも、疑うのも、納得するのも、みなこころであるのですから、そのこころだけはもっとも確実な事実といわざるをえません。

私たちのこころに浮かんでこないものは、私たちにとって存在しません。私たちのこころに浮かんでこなくても、ちゃんとものは存在しているではないかといってみても、その時にはすでにこころのうえに浮かんできています。

私たちは自分の視力の範囲に見えてくるものだけを認識しています。見えないものは私たちの判断の条件とはなりません。私たちは紫外線や赤外線は見えませんから、そういう光でものを見ることはできませんし、したがって、青い空でも緑の樹木でも、赤いセーターでも紫外線や赤外線を含めた光線で、どのように見えるのか想像もつきません。つまり、見えている世界は、みな自分の可視範囲にあるもののみであるといえるわけです。その視力も唯識では、こころの一種と考えますので、こころがこころに映ったもののみを見ているということになります。

多少極端な例ですが、何億光年も向こうの星の、現在只今の状態は知ることができません。現在只今の情報は届かないからです。私たちが見ているのは、何億年も昔の状態のわけです。現在という時間の中に何億光年の過去がしのび込んでいるわけです。眼の機能が正常なら、何ものでも見えるというわけにはいきません。内外の条件がそろった時に、ある特定の認識が成立するわけです。

私たちは、縦と横と奥行きという三次元の世界に住んでいます。それ以上の世界は見えもせず手で触れることもできません。しかし、四次元の世界を考えることができるではないか、私たちには実際には知りえないから、だから四次元世界はないといえぬではないかともいうこともできますが、その時には、意識のうえに、はっきり四次元世界は対象として捉えられているわけですので、すでにこころの場に組み込まれていることになります。

〈唯識〉が、「ただこころのみ」というのはそういう掘り下げのうえにおいてでした。

ところで、「ただこころのみ」という場合、身体のほうはいったいどうなってしまうのか。いくら「ただこころのみ」といってみても、身体を離れたこころが、こころだけでどこかに遊離して存在しているというようなことはないわけです。〈身心一如（しんじんいちにょ）〉といいますが、仏教では、身体とこころとは一体不離のものとするのが基本の立場です。身体を離れたこころがあるはずはなく、またこころを離れた身体はありえません。こころを離れた身体は、もう身体ではなくなるはずです。

ですから、修行の問題を考える場合にも、こころのみの修行もなく、身体のみの修行もありません。〈身心一如〉というのが本来の人間の在りかたでしょう。

しかし、それを踏まえたうえで、なおかつ、こころと身体の独立した面を唯識は捉え、「ただこころのみ」というのです。

たしかにこころは身体のうえに働き、身体はこころによって一人の人格を保っているという相互の関係を持っていますが、こころ独自の世界というものも考えることができます。こころは身体に依存していながら、身体につねに服従しているばかりではありません。身体がどんなに眠りを要求しても精神力でそれをはねのけることもあります。身体がこころの思うように動かぬことがあります。病気になると、身体はこころの命令に従わなくなります。

もちろん、身体とこころとの領域のさかい目やそのかかわりは、厳密には非常に難しい問題をひそめているのでありましょうが、経験的には、こころの独立した境域を考えることも不可能ではありますまい。

人間学としての唯識仏教

諸種の事情で、唯識は現代の私たちには、なじみ少ない仏教かもしれませんが、しかし、唯識仏教のねらいや成果は、決して古いものでも、一部の好事家のものでもなく、現代、新しく再認識されるべき仏教だと思っています。

それは、唯識が人間そのものを率直に追究する思想であり、しかも論理的にそれを組織している仏教だからです。

宗教という言葉から、私たちは信という語を連想し、それは知性に背反するものであったり、知性や合理性を否定するもの、あるいはそれを超えたものという印象を持つことが決して少なくありませんが、それに対して、唯識はそうではないといいます。筋道を通して、人間を求めていく、そういう性質が基本にあります。

そんなところから、私は、唯識を、東洋の人間学と呼ぶことにしています。

東洋の人間学――

もともと、仏教全体が人間学の性格が強いのですが、中でも、ひときわもっとも人間学らしい特徴と品位を持っているのが、唯識仏教といえましょう。

唯識は、ひたすら人間へ人間へ、人間そのものへ、人間のこゝろからこゝろへと人間に即して、人間追究の眼を深めていっているからです。

そこに何かの前提を持ち込もうとしない、善とか悪とか、神とか仏とか、宗教という言葉から直ちに連想するさまざまの価値観念や意味づけを持ち出さないで、いま、ここに生存している人間――おしつめていえば自己自身の存在そのものへ、真正面から率直にぶつかっていこうとしているからです。

素裸の人間をあきらかにしていこうとしているからです。

それは、人間を本来の人間に覚醒させるためでした。本来の人間への自覚を呼びおこすためです。私たちは、人類のきずきあげてきた文化の恩恵に浴して生きていますし、積極的に文化を享受し創造して生きるべきでしょうが、しかし、意地悪い見かたをすればそれは知らず知らずのうちに、人間をその文化のパターンにはめ込み、一つの視野や価値観によって限られたタイプに作りあげてしまうことでもあります。

唯識は、そういう人間の実態への自覚を呼びさまそうとするわけです。自分の生存している文化的環境を人間は抜け出すことはできない、母国語を離れて思惟することは難しい、しかし、その実態を自覚すれば、さらに開かれた境域に進出しうるのだと唯識は語ろうとするのです。

人間が、どのような枠組みの中に生きているか、どのような視野をもって生きているか、それを知るためには、その枠組みや視野を超えねばなりません。その枠の中に埋没している限り枠は見えない。それを超えて見おろした時に、はまり込んでいた自分の枠の形がはじめて見えるようになる。

唯識は、その枠組みを詳細に示してくれますが、それは、枠組みを示すことにより、自分の落ち込んでいる現実の枠組みを自覚させる——、自覚するということは、すでにそれをなんらかの意味で超えていることですから、そういう方法で、根元の自分に立ちかえることをさせるのです。

直接、根元を示すことによって、根元にかえすという方法もむろんあるわけですが、唯識は、現実の自己の実態——十重二十重の枠組みの中に在る自己の実態に即して、それをはっきり自覚させることによって、本来の自己を回復する、そういう道筋をとろうとしたのでした。

そこに、私は、人間への深い愛情を見る思いがするのです。

仏教には、無常・無我・空・無などと、人間を否定的に捉える一面があります。しかし、唯識は、いま、ここに呼吸している自分、寝たり起きたり、喜んだり哀しんだりしているこの現実の人間に照明をあてて、そこから人間主体の真理を求めようとします。私はそこに温かな人間愛を感じるのです。

私たちは、完全無欠な人間ではありません。怒ったり恨んだり妬んだり自慢したり、それをよいことだと思うわけではありませんが、残念ながら、そんなことでのたうちまわったり、なまけたりしているのが私たちの現実です。

唯識は、そういう私たちのさ迷いを、馬鹿なことだ、愚かなことだと快刀乱麻を断つように切り捨てないのです。

唯識は、それを切り捨てないで、その自分の現実を、じゅんじゅんと示してくれるのです。

よく唯識は、学問仏教だとか理論仏教だとかいわれ、冷徹な論理に貫かれた仏教であって近づきにくい教えだと思いこまれている節がないわけではありませんが、私はむしろ逆ではないのかと思っています。こんなに、人間の迷いや弱さや愚かさを凝視する仏教はない、それは、人間の弱さや愚かさへのおもいが深いからであると私は思うのです。ぬくもりがあるのです。そんなものは妄想だ、虚像だと一喝されても仕方のないことですが、唯識は一刀両断に切り捨てないで、それをよく考えてごらん、妄想にすぎぬのではないか、一人で幻想に苦しんでいるのではないのか——理をあかしてそう語りかけてくれるように思います。

そこに、弱い人間、愚かな人間、さ迷える人間へのなんともいえぬ深い愛情を私は感じるのです。存在の不在性、認識の有限性、人間の利己性などへの省察は、実に鋭く峻厳で一片の容赦もしませんが、その底にかくされた弱い人間への温かいまなざしを私はうれしく思います。決して一部の学僧たちの仏教であってはならないのだと思います。

2 仏陀の示す真理

こころの宗教

東洋の人間学——唯識仏教の源泉が、仏陀にあることはむろんです。こころの探究の原型は、仏陀の示す真理でした。仏陀の教えを、私は「こころの宗教」と呼ぶことにしています。

人間のこころを凝視し、人間のこころを掘りさげ、人間のこころの中に新しい人生を探索しそれを見出したのが仏陀の教えでした。ですから、それは、すべての人に開かれたものであり、誰にでも理解できるものであるはずです。

多くの経典の序説には、その経典が、いつ、どこで、誰に向かって説かれたものかということが書かれているのですが、説法のたびに、よくもまあこんなに多くの人たちが集まったものだと感心するぐらい、たくさんの、しかも種々雑多の人びとが集まっています。諸仏・諸菩薩からはじまってさまざまな人間・魑魅魍魎（ちみもうりょう）とでも呼ぶべきわけのわからぬ生きものにいたるまで集まっています。仏教でいう〈衆生（しゅじょう）〉でありましょうが、それが無量無数集まってくるのです。経典には、ところどころにそうした誇張的表現がみられ、以前は、そういうところは、あまりこころをとめて読みませんでしたが、しかし、近頃はそれにはそれなりの意味がある、そこには、仏陀の教えの明解性と普遍性とが暗示されているのだと思うようになりました。

「如来に秘密なし」といわれますが、その言葉通り仏陀の教説には、隠された秘密や神秘めいたものは何一つないのです。誰でも聞くことができたし、聞けばわかったし、わかって新しい人生を発見することができたから、経典はそれを演劇的に無数の衆生を登場させて描いたのです。無量無数の衆生の集まった情景は仏陀の教説が閉ざされたものでないことを語ろうとするものでありましょう。

仏陀（ガンダーラ出土）

ふつう〈宗教〉というと、何か人間の知性や常識や合理性などの領域を超えた特別な神秘現象と思われることが多いようです。ある日突如として神の声が聞こえたとか、神がかりになったとか、不思議な現象が、宗教の一番根元にあるように考えられています。そして、それはある一面では真実をさしているといえましょう。

仏教も宗教である。だとすると、仏教も神秘性にもとづく教えである、とそう考えるのも無理はありません。

ところが、仏陀の教えにはそれがないのです。健康な精神と知性で究め尽くしていく——それだけが仏陀の教えの根幹であり、したがって、仏教の基本精神でもあります。経典の原点といわれる『法句経』や『阿含経』には神秘家、超能力者の仏陀の姿はありません。美しい精神の仏陀が浮かび上がってくるだけです。

多くの衆生が集まったということは、特殊な人たちの間にのみ通用するようなものではなかった、閉鎖的排他的なものでも、強要的なものでもなかったことを語るものです。

むろん、人間の知性が全能だなどというのではありません。大自然の広大さに比べれば知性の大きさなど、たかの知れたものでしょう。たしかに人類の知性は偉大な文化を築いてきましたが、はたして自然を超えうるものなのか。考えてみれば、私たちもまた自然の産物の一つにすぎませんから、その私たちの知性で、自然を超えうるものなのかどうなのか、疑問も出てくるのですが、とにかく仏陀の教えは、私たちの知性にしたがって、筋道を通して、考えぬいていくというきわめて平凡な方法によるものでありました。

仏陀は、道理をわけ、言葉をつくして人生の真実を人びとに話されるのです。だから誰にでもわかるし、たくさんの人が集まって聞くことができたのです。

もちろん、聞けばわかるといっても、実はそんなに簡単なものではありません。一つの言葉の意味がわかるということは、ほんとうは大変なことだと私は思っています。その意味では、逆説的にいえば仏陀の平明な教えも神秘だといえるかもしれません。

以前、私は自分で買い集めた本を、一夜のうちに火事で全部焼失したことがあります。その時、「紙は焼けるものだ」という、きわめて平凡きわまりない言葉の意味が、ほんとうにわかったという思いがしました。二十歳代のことですので、買い集めた本もそんなに貴重なものがあるわけではないのですが、やはりショックでした。

その時に「本は焼ける」「紙は焼ける」という子供でも知っている単純明快な言葉の意味がずっしりと胸の底に滲みこむようにわかってきたのでした。

一つの言葉がわかる――そのために人はいろいろな犠牲や無駄や経験を必要とするもののようです。仏陀は「人生は苦なり」といわれますが、この言葉の重い意味がほんとうにわかるのには、どれだけの人生経験が必要なのでしょうか。

ですから、仏陀の教えが、どれだけ平明で道理を究めたものであったとしても、どれだけその真意を私たちが理解しうるか問題ですが、少なくとも、〈宗教〉＝神秘性という公式が、ふつう考えられているような意味では仏陀にあてはまらないということだけは断言できます。

仏陀の教え

人生は二度とない。おのれを見失うことなく、心穏やかに慈愛深く生きよ。

大変思い切ったいいかたですが、私は仏陀の教説をこんなふうにまとめて学んでいくことにしています。

それを、もう少し伝統にのっとり詳しく言い換えますと、仏陀の教えは、(1)存在の真相をあきらかにしていく一面（存在論）と、(2)その存在が他のものとどのようにかかわるかという一面とに分けられるといってよいかと思います。そして、他とのかかわりの面に、さらに、(A)他をどのように知るかという面（認識論）と、(B)他とどのようにかかわるかという面（実践論）があるといえます。

仏陀の教え
- (1)私たちは、どのように存在しているか（存在論）
- (2)他とどのようにかかわっているか
  - (A)他をどのように認識するか（認識論）
  - (B)他とどのようにかかわるか（実践論）

「他とのかかわり」を実践論とすることにはあるいは異論があるかもしれません。仏教は、全部が実践論だともいえるからです。仏教は形而上学でも哲学でもなく、存在の真相や認識の構造をあきらかにすること自体を目的としたものでもありません。どこまでも、自分の生きかたを求めるというのが根本の精神ですから、その意味では、存在の真相を求めることも、認識の構造をあきらかにすることも、みな実践論でもあるわけです。存在の真実をあきらかにしていくというそのことによって、人生を変えていくということも実践であるわけです。

しかし、いろいろなものを整然と分析し分類して考究するのも仏教の正統な方法ですので、一応ここでは、存在論・認識論・実践論に分けておきましょう。

仏陀の教えは、存在の真相をあきらかにするところからはじまります。すべてのものは、どのように存在しているか、自己とはどのような存在なのか、まずそこをはっきりおさえておかねばなりません。そこを素通りしてしまって、どんな立派なことをいってみても、土台がしっかりしていなければ何事も所詮絵空事に終わってしまいます。

あらゆるものは、どのような相で存在しているのか。

それに応えるのが、仏陀の〈諸行無常〉〈諸法無我〉の言葉です。

すべてのものは移り変わる――〈諸行無常〉

すべてのものは移り変わっていく、一つとしてこの世のもので固定しとどまるものはない――これが〈諸行無常〉であり、存在するもののほんとうの相です。

もっともよく仏陀の言葉をそのまま伝えているといわれる『阿含経』を読みますと、いたる所にこの〈無常〉という存在の相が、これでもかこれでもかとくり返し説かれています。いかに仏陀にとって〈無常〉という存在の真相が重大な意味を持っていたかということでしょう。

私たちや私たちをとり囲むすべてのもので、何一つとして〈無常〉でないものはありません。花は散っていきます。大地も動きます。故郷も変わっていきます。自分の身心も変わり友も変わっていきます。二度と同じ時間は還ってきません。同じ時間が還らぬということは、同じ空間もふたたび還らぬということです。すべてが移り変わっていくのです。

今日という日、今日の自分、自分を囲むすべてのものは二度と私たちの人生の中に現われることなく流れ去っていきます。

〈ムジョウ〉というと、うっかりすると〈無情〉という言葉を連想してしまう――日本人はとくにそうだといわれますが、〈無常〉は、〈無情〉という人間の感情とは無関係な存在の真理です。移り変わることは、感情的には寂しいことですからまったく無関係とはいえぬかもしれませんが、〈無常〉とは、人間の喜びや哀しみ、寂しさやうれしさを包み込んで流れ去る永遠の真実です。どんなに惜しんでも花は散っていきます。どんなに嫌がっても草は成長してきます。私たちの気持や願望では、どうすることもできぬ存在の真理であり、私たちはその真理の中に押し流されながら生きているにすぎません。

すべてのものは移り変わっていく、そんなことはあたりまえのことではないか。とりたてて、あげつらうほどのことではあるまい。

そう考えることもできるのですが、ほんとうに果たしてそうなのでありましょうか。

〈諸行は無常だ〉、あらゆるものは移り変わる、そのことを頭で理解することは決して難しいこととはいえますまい。

だが、〈無常〉ということが、ほんとうにわかるためには、語義だけでは十分ではないのです。それがわかるために人はどれだけの人生経験を必要とするのでしょうか。語義プラス何かがなければならぬのです。「紙は焼ける」という自明の理がわかるために、私は本を全部灰にすることが必要でした。

〈無常〉の深意がほんとうにうなずけるためには、どんな人生経験が必要なのでありましょうか。何かの痛切な体験が不可欠であるように思います。

私自身は、こうして〈無常〉〈無常〉と口にしていますが、ほんとうには〈無常〉はわかっていないと思っています。

なぜ、そんなことをいうのかといいますと、道元禅師の『学道用心集』という初期の著作の中に、「ほんとに無常を観ずることができたならば、吾我（ごが）の心は生ぜず、名利（みょうり）の念は起らぬ」といわれている所があるからです。「吾我の心」は自我主張、「名利の念」は名誉・名声欲と利益追究のこころです。〈無常〉がほんとうにこころの底までわかったならば、吾我名利のおもいはなくなるというのです。それは、裏を返せば、吾我名利のおもいが、こころの片隅に一片でもひそんでいるうちは、〈無常〉が真にわかったとはいえぬということでしょう。

そこで、私自身、自分のこころの底をふりかえってみると、恥ずかしいことですが吾我名利のおもいが一片もないなどということは絶対にいえないのです。それがいえぬ限り、道元禅師の語の通りに〈無常〉はわかっていないと、残念ながら思わざるをえません。

ほんとうに、〈無常〉の真実が魂のどん底からわかっておるならば、人生が二度とないこと、今日という日がふたたびやってこぬこと、そういうことが胸の底からつきあげてくるはずですから、もしそうなれば、やれお金だ、やれ出世だといってばかりはおれなくなるでしょう。二度とない人生には、もっともっと大切な何かがあるのではないか。儲かったとか損をしたとか、追い越したとか追い越されたとか、あいつがこんなことをいったとかいわなかったとか、そんなことよりも、もっともっとこころを注ぐべき何ものかがあるのではないか。

吾我名利を多少でも気にしている間は、結局、窮極的には〈無常〉はわかっていないということです。

海音寺潮五郎さんだったように記憶していますが、晩年、「俺には残された小銭は、もうそんなに多くはないんだよ。」――無駄は許されないのだと話されたというのを何かで読んだことがあります。そういう切実な思いが〈無常〉を知っているということでありましょう。

同じような言葉ですが、禅寺に行きますと、

生死事大　（生死事大）
無常迅速　（無常迅速なり）
各宜醒覚　（各々よろしく醒覚すべし）
慎勿放逸　（慎んで放逸なること勿れ）

と書かれているのを見かけます。「人間の一生などというものは夢のようにすぎ去ってしまうぞ。ぼんやりするなよ」というのです。

〈無常〉とは、決して、哀しく寂しいという情緒的なものでも、仇に立ち向かっていくような興奮したものでもなく、透徹し、さえかえった存在の真理です。

人間は万物と共に、同じように〈無常〉のものとして存在している。

しかるに、それに気づかず、吾我名利を追いまわしている。
仏教は——つまり唯識は、その人間の実態をまざまざと照らし出そうとするのです。

かかわり合い支え合う存在——〈諸法無我〉

〈諸行無常〉が、すべてのものは移り変わるという時間の系列のうえでの存在の真相を示すものだとしますならば、〈諸法無我〉は、存在の相互の関係をいい表わします。あらゆるものは、相互にかかわり合い、支え合い、つながり合って存在している、というのです。

ふつう〈無我〉というと、私心・我欲がないこととか、無我夢中などと使って何かに没頭することを指します。

しかし仏教では、〈無我〉とは、「すべてのものが依り合い支え合っている」という存在の真相を意味します。

その場合の「我(が)」というのは、「わたくし」という一人称を指すのではなく、「実体」の意味です。それ自体で存在し、不変不動のもの、それが「我」です。何かによって支えられているものではありません。それ自体で存在が完結しているものです。

したがって、〈無我〉とは、そういう不変不動の実体ではないということで、これが仏教の存在論になるわけです。

私たちの周囲を見まわすと、一つとして、他との関係を持たないで、孤立的に実体的に存在しているものはありません。

自分自身のことを考えてみても、もともとから存在していたわけではなく、両親のかかわりにおいて、ある日、一つの生命として此の世に生をうけたものです。その時、はじめて私が存在したのでした。そうして、空気を吸って、母乳を飲んで、それに支えられて成長してきました。母に助けられ、友だちに力をかりて、私という存在が今日にあるのです。ふだんはあまり考えてもみもしませんが、有形無形のどれだけ多くの力に支えられていることか。考えてみると、自分の生存は、無数の力の恩恵をうけていまこの状態でありうるのだといわざるをえません。

自分は自分の力で生きている――見かたによれば、そういう面もないわけではありません。本人自身に生きる力や気力がなければ、どんなに周囲の人びとが手をのばし力をかしてもどうにもならないことがあるのですから、たしかにそういう一面もあります。しかし、それも他の力あってのことなのであって、純粋に独立して存在できるということはありません。花が咲くのも、種子自身に咲く力がなければなりませんが、種子自身の力だけでは成長しえない。大地や、水や、太陽の熱や光や、種子自身の持つ力と、それを助ける無数の力と、どっちが重いのか、考えてみると、どっちともいえないのがほんとうです。

富士山に登ると、高山病にかかる人があります。富士山ではそう多くはないけれども、五千メートル、六千メートルの高い山になると誰しも高山病にかかって体調がおかしくなるといわれます。逆に海底にもぐると、水圧のためにこれまた潜水病になります。気圧が下がっても、水圧が上がっても、人間は健全ではなくなる。つまり、私たちが健康でありえているのは、この地上の気圧に支えられているにすぎません。「私は健康だ」というのも、適当な気圧という条件に支えられて健康であるのであって、「健康な自分」という実体が存在しているわけではないわけです。

私は体重が七十キログラムです。これが私の体重だといいます。しかし、これも、この地球上にあっての仮りの重さにすぎません。月に行けば体重は六分の一に減ってしまうわけで、「七十キロの体重」という私の肉体の条件も絶対的なものではなく、地球上における一つの約束事にすぎぬわけです。空気を遮断されれば、私はすぐに死んでしまうし、月につれていかれれば、私の体重は頼りないものになってしまいます。

一冊の本も、紙はどこかの工場で漉かれてきています。そこには、見知らぬ人たちが、一枚の紙を漉くのにたくさんの力を与えていたはずです。その紙が印刷所に運ばれていく。そこにも知らない人たちの力が働いています。活字が組まれる、印刷機にかけられる、校正作業がすすむ、製本され、装幀されるなどなど、どれだけ多くの力が結集して一冊の本になるのでしょうか。

そこには、これこそが本だというような実体我(が)はないのです。無限のかかわりに支えられた本がここにあるだけです。

存在をそのように考える。

それが仏陀の示される〈諸法無我〉という存在の真理です。

それがほんとにわかった時にのみ、私たちは真に他の存在への敬虔な思いと慈愛を抱きうるのではないでしょうか。俺は俺で生きている、他人の世話にはならぬというような精神からは、慈愛も他の存在の尊厳にぬかずくことも生まれるはずがないのです。

真の愛には、このような存在の根元への深い自覚が隠されているのではないのか。感情的なあわれみや一時的な同情などが真の愛であるはずはありません。

むろん、他の存在の尊厳性といっても、実体として、つまり他とのかかわりを切断して独自に存在しているものはないのですから、存在するすべてのものは、みな〈無我〉としての存在です。存在ということは、「無という形で存在している」ということです。

他の存在への尊厳な思いや慈愛の中には、そのような存在の真相への深い眼がなければならないのです。

『法華経』に「常不軽（じょうふきょう）菩薩」という菩薩が説かれています。「常不軽菩薩」は、会う人ごとに合掌し、「我、常に汝を軽んぜず」と礼拝したというのです。他の存在の尊厳性への敬虔な思いの実践でありましょう。それは、〈諸法無我〉――すべてのものの支え合いに覚醒しているのでなければ不可能でしょう。ジェスチャーで人を拝むことはできます。好意をもった人にぬかずくことはできます。しかし、頭を下げながら、肚の中で「畜生!」と思っていたのでは、〈無我〉の礼拝ではありません。嫌いな奴の前には頭は下げられない。誰をも拝むということは、いうべくしてきびしいことです。

このように考えてくると、仏陀の教えは平明ではありますが、それは表面的な語義のうえでのことであって、中身は決してそう口にするほどたやすいものではないといわねばなりません。

ただ、どこまでも、人間の知性を否定するような性質はひそめていなかったことは事実です。存在を凝視し観察し、考えに考えぬいて、その知性の極限に、存在の神秘に触れるとでもいいましょうか。

さて、このように仏陀の教えは、存在の真相にもとづく叡知の人生です。ですから存在を問う時、もっとも身近で確実な存在は何かということになると、どこへ行きつくのでありましょうか。

終極的に到達したのは、ほかでもありません、いま、ここに生きている〈自己〉であり、〈自己のこころ〉でありました。

私たちは〈無常〉〈無我〉のものとして〈無常〉〈無我〉の存在の一つとして存在していますが、その自分を〈無常〉〈無我〉のものと自覚するのは、自己自身にほかなりませんし、自己自身といっても、その自己自身の意識以外にはありません。デカルトは、有名な「我考う、ゆえに我あり」という言葉で、一切の存在を疑い尽くしたあげくのはてに、「考えている自己そのもの」だけは疑いえぬという結論に到達したのですが、私たちもまた、〈無常〉を知り〈無我〉を認識する私たち自身のこころの領域に還帰せざるをえないようです。

仏陀の教説が、自己へ自己へと帰着して行くのはそういう道をたどってであったのでしょう。

仏陀の教えの第一歩は、苦なる人生を自覚し、苦なる人生から解脱することでありました。仏陀が王子の地位を捨てて出家された最大の動機は、苦の人生からの解脱を志求してのことでした。そして、その苦の原因は、外部の環境によるのではなく、おのれの内面——おのれのこころにあるという覚醒であります。

仏陀の教えを「こころの宗教」と呼ぶゆえんです。

このように仏陀の教えが、「こころの宗教」であるとしますならば、こころを精細に深く観察し、その実態を正確に捉えようとした唯識仏教の山脈が、仏陀のあとに巍々として連なる勇姿を眼前に見る思いがいたします。

仏陀の示された、無常・無我の存在論のうえに、認識の構造を重ねあわせ、実践論を展開していったのが、唯識仏教だということができましょう。

第二章　唯識仏教の歴史

成唯識論卷第一
護法等菩薩造　三藏法師　玄奘奉　詔譯
稽首唯識性滿分清淨者我今釋彼説利樂
諸有情今造此論爲於二空有迷謬者生正
解故生解爲斷二重障故由我法執二障具
生若證二空彼障隨斷斷障爲得二勝果故

『成唯識論』（宋版一切経より）

少し長くなりますが、この章では、唯識仏教の形成とその伝承をみておきたいと思います。

歴史は消え去った過去のことではありますが、どんな先人たちが、どのように仏教を学びどのように生きたのかという生きた人間と仏教との関係がその歴史であります。誰がどんな本をいつ著わしたという事実の究明は、この本のねらいではありませんので、そういう点は、定説にしたがい、歴史的事実や伝承の中に、人間を読みとり、唯識仏教の教えを聞きとっていきたいと思います。

仏教とは、決して抽象的な思想や哲学体系ではなく、生きた人から人へと授受されるものです。人が生き、人が生かされていく、そういう事実が歴史でありましょうし、歴史を学ぶほんとうの意味の一つは、そこにありましょう。とくに唯識の歴史などは、一部の専門家の間にしか知られず、人の名前なども、なじみ少ないものでした。

数年前、奈良・薬師寺の門前で、地もとのおばあさんたちが、「玄奘さんがどうした」「慈恩さんがどうした」と話しあっているのに出くわし、さすがは薬師寺だなあと感心し、驚嘆したことがあります。こういう会話は、薬師寺の近くであるからこそ聞けるのであって、日本のどこででも聞けるものではありますまい。

1　インド――唯識仏教の形成

唯識仏教の原点が、仏陀にあることはいうまでもありません。仏陀の教えは、基本的にこころの教えでした。

仏陀が成道された時の教え、つまり仏教のもっとも基本の教えは、十二因縁あるいは十二縁起であったと伝えられ、これは何経にも共通にみられるところです。十二因縁は、生・老・死というこの現実の人間の苦悶の源を尋ねて、十二の段階を経て内面にひそむ〈無明〉に到達された内省の経過と結果とを組織的に述べられたものですが、いうまでもなく、とられた方法は内省的な方法であり、そこにあきらかにされたのはこころの実態でした。

「すべての苦悩の根源は自己の内にある」というこの仏陀の教説は、換言すればこころの教説といえるわけです。

いまここで詳しく触れるわけにはいきませんが、仏陀のその他の〈五蘊〉〈十二処〉〈十八界〉の教説なども、みな、人間の身心の追求であり、しかもこころについての部分が大きな比重を占めているのですから、仏陀の教えはこころの教えだといえるわけですし、唯識の源流はそこにあることになります。

内に自己を求め、こころを究め去り究め尽くす——それが仏陀の根本義であり、また唯識のすべてであるといえます。

源流は仏陀にありますが、それを学的に体系化したのは、インドの弥勒（マイトレーヤ）、無着（アサンガ、三九五〜四七〇ころ）、世親（ヴァスバンドゥ、四〇〇〜四八〇ころ）であったといわれます。

弥勒（マイトレーヤ）

弥勒については、伝承的には、現在、兜率天にいて遠い将来に成仏し地上に下生するといわれる弥勒菩薩であり、無着の許へ下って教えを授けたといわれていました。兜率天というのは、人間界の上方はるか彼方にある天人の世界であって、そこに、遠い昔に釈尊と兄弟弟子であった弥勒菩薩がおられ、この地上に下生のときを待って思惟にふけっておられるといわれる所です。しかしこの伝

弥勒菩薩（広隆寺蔵）

説は、どうも現代人にはあまりにも神話的にすぎるようです。そこで、弥勒というのは、兜率天の将来仏などではなく、弥勒と呼ぶ学僧が実在したのだ、弥勒は信仰のうえでの仏ではなく、歴史上の人物だという説が出され、いまでは、こっちのほうが大体承認されるようになっています。そういう見かたからの研究で、生没年代も三五〇〜四三〇ころといわれます。中国の伝承によると、弥勒の五論（『瑜伽師地論』『分別瑜伽論』『大乗荘厳論頌』『弁中辺論頌』『金剛般若経論頌』）といわれる五種類の著作があったとされますので、実在の学僧と考えるほうが、ずっと自然なわけです。

しかし、兜率天上の弥勒菩薩が地上におりて教えを授けた、それが弥勒の教えであるという伝承にも、捨て難いものがあります。捨て難いものというのは、そんな神話的な伝承に、実は、宗教の本質とでもいうべきものを見出すことができるからです。

宗教とは何かという問題は、これまた重大な問いになりますが、どの宗教にも共通してみられるのは、「人間が、人間を超えた何ものかと一つのかかわりを持つ」ということです。神・仏・絶対者・聖なるものなどなど、呼びかたは種々あっても、みなそれらは共通して人間を超えたものです。人間が有限であるのに対して無限永遠であり、人間が汚れているのに対して清浄であり、人間が悪であるのに対して善であるというように、人間を超えた性質を持っていて、そのものに対して、人間が何かのかかわりを持つところに宗教が見出されます。

その意味では、宗教というのは、人間が発する存在の根元へのもっとも深くもっとも根本的な問いと答えであるといえます。

そういう視点からみると弥勒を人間界をはるかに超えた兜率天上の将来仏として捉え、そこに唯識の依り所をみようとする伝承も、決して荒唐無稽なお伽話とはいえないように思うのです。

弥勒の五部の著作については、いろいろな研究がすすみ、

唯識曼荼羅（中央・弥勒菩薩，上段右・無着，同左・世親，興福寺蔵）

無着（興福寺蔵）

『瑜伽論』百巻は、おそらく弥勒一人の力で出来たものではあるまいといわれておりますし、チベットの伝承では、他に『法法性分別論』『現観荘厳論』の二冊があったといわれます。

とにかく弥勒という名は、兜率天上の将来仏であるにせよ、歴史上実在の学僧であるにせよ、組織的な唯識仏教の出発点に位置する大切な名前であることは事実です。

唯識曼荼羅は、唯識仏教の発展に大きな業績を残した人たちを一つの画面に描いていますが、その中央に描かれているのは、ほかならぬ弥勒菩薩です。

無着（アサンガ）

弥勒のあとを継承して唯識仏教を組織的完成へと導いていったのが無着でした。弥勒については実在の人物かどうかの議論がありましたが、無着はその点、あとの世親をも含めた三人の中で一番問題のないかたです。著作からみるところでは、真摯な求道的な人柄であったろうと思います。代表的な書物は、なんといっても『摂大乗論』です。仏陀扇多の訳で二巻、真諦三蔵・玄奘三蔵の翻訳で三巻の決して大部とはいえぬ書物ですが、その後の唯識の重要項目となる阿頼耶識の三相とか、遍計所執性・依他起性・円成実性などの基本的な構造が組織化された名著です。

世親（ヴァスバンドゥ）

唯識仏教組織化の最後の大成者は世親です。世親は、無着の血のつながった実の弟でした。兄の無着が温厚篤実な人柄であったろうと思われるのに対して、弟の世親は才気煥発の人であったのではあるまいかといわれます。むろん世親も単なる才人や学僧ではなく、兄の無着と同じように真面目な求道者でした。それは、世親の才気のきらめいた『倶舎論（くしゃろん）』の中に、キラッキラッと輝くように埋められた宗教的に深い語句によく表われています。

世親はもと伝統的な仏教を学んでいました。説一切有部（せついっさいうぶ）という保守的な学派に属していたといわれます。その時の成果が『倶舎論』ですが、世親は、有部の教説におぼれ切れる人でもなかったようで、有部と対照的な意見を持つ経量部（きょうりょうぶ）に深い共感を示す箇所がいたる所にみられ、『倶舎論』を読む人をしばしばとまどわせます。いったい世親は、有部の立場に立っているのか、経部の立場に立っているのか、余程注意して見ないとわからなくなってしまいます。

それは、天才世親の彷徨といえるのではあるまいかと思います。何か胸中に充たされぬものがあり、その何かを模索しつづけたのでありましょう。そうした彷徨の世親に機は熟していたのでありましょう。兄無着の大乗転向へのすすめによって証（さと）るところあり、翻然として世親は、説一切有部の学派を離れて大乗仏教へと変わっていきます。

世親という人は、また感動の非常に強い人でもあったのではないでしょうか。それまで有部にあって大乗仏教を誹謗してきたことへの罪を悔い、無着の前で、大乗を誹謗攻撃した自分の舌を切断しよ

世親（興福寺蔵）

うとしたといわれます。温厚な無着は、舌を切ろうとする弟を戒めて、いま切り捨てようとするその舌で、大乗を宣布してはどうかと教えます。兄の説諭にしたがい、以後、大乗のすぐれた典籍を残すことになります。禅語に「地に由りて倒るる者は、必ず地に由りて起く」というのがありますが、批判の舌を称賛の舌へと変えたのでした。

転向の年齢ははっきりわかりませんが、かなりの年であったろうと推定されています。

唯識仏教では、小乗より大乗へ転向する菩薩のことを、廻小向大（えしょうこうだい）の菩薩・廻心向大（えしんこうだい）の菩薩・漸悟（ぜんご）の菩薩などと呼んで、最初からまっしぐらに大乗の修行をする菩薩と別に大切に考えるのですが、それは、唯識の大成者である無着・世親の兄弟が、そろっていずれもそうであったという歴史の事実に淵源しているのかもしれません。

無着は、世親のような劇的な転向ではないようですが、やはり途中で大乗に変わった人でありました。

大乗転向後の世親の仕事は、かなり広範囲な領域にわたりますが——これがあとで述べるように議論をうむことになります——、唯識仏教の範囲に限っていえば、世親の功績は弥勒・無着によって大成された唯識教学を解説したり、まとめたりすることでありました。

弥勒の頌に注釈を施したのが『中辺分別論』『大乗荘厳経論』、無着の著作への注釈が『摂大乗論釈』で、世親が独自に唯識の要綱をまとめたのが『唯識二十論』『唯識三十頌』です。いずれも後世への影響の大きい書物ばかりですが、中でも『唯識三十頌』は、広大な唯識の教説を、わずか三十の短詩型にまとめた傑作です。しかし、晩年の作といわれるように、世親自身は一句もその詩の解説を残しませんでしたので、後世いろいろな論議をまきおこすことになります。要点を圧縮して小さな詩型に収斂するということは、無駄なものが一切とり除かれて、珠玉のような光をはなちますが、それだけに一字一句の含む意味が深長になるために、いろいろな角度からの見かたが可能になるわけです。のちに、十大論師と呼ばれる十人の学僧があらわれ、この『三十頌』にいろいろな解釈をしました。要するに、『三十頌』があまりにも簡潔であったためといわざるをえません。

ところで、世親の残した著作を見ますと、いまいちいち名前はあげませんが、内容の幅が実に広いのです。それで、世親は実は二人いたのではないかという世親二人説も出されています。インドでは、有名な特定の人に、多くの著作を帰属させることがおこなわれるそうですので——これはインドに限ったことではないのですが——世親の著作といわれるものの中にも、あるいはそうでないものもあるのかもしれません。しかし、『倶舎論』『摂大乗論釈』『唯識三十頌』などの唯識にかかわるものは世親の著作として疑われぬところですので、唯識の大成者としての位置は動かぬところでしょう。いろいろな本が世親に擬せられたということは、それだけ世親が偉かったということでありましょう。

二つの流れ――〈無相唯識〉〈有相唯識〉

そこで、『唯識三十頌』についてのいろいろな解釈が派生することになります。その代表として、十大論師と呼ばれる十人の学僧が伝えられています。護法・徳慧・安慧・親勝・難陀・浄月・火弁・勝友・勝子・智月の十人ですが、詳しい伝記はわかりません。学問の系統も、大きくは、①徳慧・安慧、②護法、③難陀の三つに分かれるであろうともいわれながら、これも資料不足で、十分のことはわからないというのがほんとうのところです。ただ、後世に影響を与えたという意味でいいますと、安慧と護法の二人が重要な意味を持っているとはいえましょう。のちに、唯識仏教には二つの流れが生まれました。その二つの流れをはっきり示すのが、この二人です。

二つの流れとは、安慧（スティラマティ、五一〇～五七〇ころ）に代表される無相唯識と呼ばれる系統と、護法（ダルマパーラ、五三〇～五六一）に代表される有相唯識と呼ばれる系統です。

無相唯識とは、人間の認識の中に内在する虚妄性――人間の認識はきわめて主観的なものであって、どこまで対象の真を認識しえているかわからないという一面を強調するものです。認識、つまりものを知るという私たちの働きには、主観的に見たり聞いたり考えるという一面がたしかにあります。本を読むにしても、なかなか著者の真意をあやまたず理解するということは困難なことで、自分の気にいった所のみを読みとっていくという過ちを私たちもよくします。以前、赤い傍線を引いた本を読み返してみると、ずいぶんつまらぬ所に線を引いているのに驚くことがあります。「なんだ、何もわかっていないじゃないか」と自分であきれます。聞くことでも、考えることでも似たようなことがいっぱいあるわけで、それは要するに、私たちの認識が、その時の主観に左右されることが非常に多いということの証拠なわけです。無相唯識は、そういう人間の認識に内包する虚妄性を鋭く指摘した思想であったといえます。この思想の特徴を、「境識倶泯（きょうしきくみん）」という語で表わすのですが、〈境〉は認識対象、〈識〉は認識主観、〈泯〉はほろびるという意味ですから、認識における主観・客観は、ともに虚妄だというのです。

私たちは、ふだん自分が、ものを知るということについて、根本的に反省してみるということはなかなかしないものです。反省しないでおいて、自分の見ているものは正しい、自分の考えていることはまちがいないと思い込んでいる節があります。唯識仏教は、そういう認識への無自覚に、真正面から問題をぶつけてくるわけですが、その虚妄性の面をまざまざと指摘したのが、無相唯識の流れでありました。

安慧の思想は、のちに真諦（パラマールタ、四九九～五六九）によって中国に翻訳され伝来され、その翻訳にもとづきながら〈摂論宗〉が成立します。その意味で後世にまで大きな影響を持った一つの流れといえます。

しかし、玄奘の翻訳が世にあらわれるとだんだんかえりみられることが少なくなりました。

護法（ダルマパーラ）

これに対して、護法に代表される有相唯識は、これも唯識仏教である限り、認識構造への反省省察を出発点とすることは同じですが、では、無相唯識とはどこがちがうのかといいますと、一言でいえば、人間の認識が虚妄であることを認めたうえで、しかもそれを全面的に捨て去らないで、その虚妄の現実相に即して、あるままの認識構造を把捉していこうとするところにあるといえます。私たちの認識は、きわめて主観的色彩が強く、その意味では、無相唯識のいうとおりに虚妄のものです。

護法

けれども考えてみると、それがどんなに虚妄であり、どれだけ誤謬であるとしても、私たちの認識は、それ以外には何もなく、そこを離れて私たちは塵一つ認識することはできません。それが私たちの認識の実態です。その意味では、私たちの認識の構造や作用を是認することに大きな理由があるわけです。人間の認識は迷妄だと切り捨ててしまわないで、とにかくそれを有る相（すがた）のままにみていこう、そう考えようとするわけです。

私たちは自分の眼でものを見、自分の耳で音を聞き、自分の知性でものごとを考えるしか、ものを知る方法を持ちません。それが、どんなに狂っていようとまちがっていようと、限界があろうと、それしか私たちにものを知る方法はないのですから、それが、どのように狂っているのか、まちがっているのか、その実態を知ることが自分の認識を深める第一歩だといえるわけです。とにかく有る相を是認するしかない。有相唯識は、そういう立場をとろうとしました。

そんなところから、有相唯識は、無着・世親の真意に多少ズレるところがあるのではないかという評価もあります。しかし、それは重点のおき具合のちがいであって、決して誤られたものとはいえないでしょうし、また伝統に対して、一つの反省が積極的に加えられているという点からいえば、有相唯識には有相唯識のすばらしい面もあるといえます。

伝承に対して、たとえどのようなことであれ反省を加えるためには、伝統への深い省察と、その省察を支えていく一つの信念がなければならないでしょう。信念とは、その場合決して盲目的なものではなく、自分の全存在をかけての体験・経験に裏づけされたものであるはずです。仏教の修行のうえでのなんらかの証悟にもとづかぬ限り、伝統に対して新しい自分の見解をつけ加えることはできますまい。

そんな意味で、護法の唯識は、何か仏教を自分にひきつけて、納得いくまで吟味していくという性格が感じられ、そこが一つの魅力になります。

護法の唯識が、まとまって見られるのは、『成唯識論』ですが、その本では、あちこちに、他の教説への批判がみられます。見ようによっては、それは他に論争を挑発しているようにもうけとられ、排他的な印象さえ覚え、包容力に欠ける感じがしないでもありませんが、真意は、それを通して自説を明確にすることにありました。

護法は、三十二歳の若さで亡くなります。二十九歳のころ、病に冒され、亡くなるまで、菩提樹下にひたすら坐禅をつづけたといわれます。

2 中国へ――法相宗の成立

さて、無相唯識が、真諦によって、中国に伝えられ〈摂論宗〉となったのにややおくれて、有相唯識も中国に入っていくことになります。

インドからヒマラヤを越え、シルクロードを通って中国へ――護法の唯識の教学が入っていくのに、一人の偉大な学僧が必要でした。

玄奘

そうです。あの孫悟空で親しみ深い『西遊記』の白馬に乗った三蔵法師のモデル――唯識仏教の歴史のうえで、永遠に忘れることのできぬ玄奘（げんじょう）（六〇〇～六六四）が、はるばる砂漠を渡り雪嶺を越えてインドにやってくるのです。

玄奘はすでに真諦の翻訳によって唯識を勉強していましたが、どうしても納得のいかぬところがあり、その真実の教えを求めて、国境を突破したのでした。そのころ、中国は唐の時代で外国に行くのには政府の許可が必要だったのですが、玄奘には許可が下りず、とうとう無断で国境を越えたのでした。艱難辛苦のすえインドに入ります。インドにいたのは六二九年から六四五年だそうですから、実に十六年に及ぶわけです。その間、足跡をたどるとほとんどインド全域にわたっておりますが、玄奘

ナーランダ寺院跡

にとって最大の収穫となったのはナーランダの学問寺で護法唯識の伝授を受けたことでした。当時、ナーランダ寺は、インドのもっとも盛んな学問寺であったといわれますが、そこに戒賢（シーラパドラ、五二九〜六四五）という唯識の長老がいました。生没年代を見ていただくとわかるように、百歳以上のおどろくべき長命のかたです。その晩年に玄奘がやってきて、唯識の蘊奥を授けられるのです。戒賢は護法の弟子といわれますから、戒賢は、若くして逝った師護法の教えを情熱をもって玄奘に伝えたのでありましょう。師を語る時に人は熱い追慕の思いにかられるものです。また、そうして語る師を持ちえた人は幸せな人でありましょう。語るべき師を持たぬ人、いや師でなくてもよい、熱情をもって語ることのできる人を持たぬ人のこころは寂しい。戒賢は、玄奘を一目見るなり、汝の来るのを待っていたといったと伝えられています。異国の人玄奘に余程深く感応するものを直観したのでありましょう。あるいは、若き師護法の面影を発見したのかもしれません。「師は、こう語られた」「師はこう考えられた」と諄々と玄奘に語る百余歳の年老いた戒賢の息吹が聞こえてくるようではありませんか。

玄奘は、留学の目的を達し、多くの経典をたずさえて帰国します。ヒマラヤを越え、シルクロードを通り、西域を経て懐しい故国に向かいます。

玄奘三蔵（東京国立博物館蔵）

玄奘の苦難にみちた旅と、それを決行させた真理探究の純粋な精神とを思うたびに、私はなにか襟を正さざるをえないような厳粛な気持になります。

帰国した玄奘は、時の皇帝太宗に迎えられて、弘福寺で翻訳をはじめることになります。玄奘は、少林寺という山中の寺に入りたかったようですが、許されませんでした。それ以後、慈恩寺に移ったり、玉華宮寺に移ったり翻訳場は二転三転していますが、とにかく、太宗の手厚い待遇をうけて、玄奘の翻訳はすすめられます。玄奘くらい豊かな経済的基盤と、完備した人員配置のうえに翻訳事業を完遂することのできた学僧は、他にはなかったといってよいでありましょう。

玄奘が、はじめて唯識を学んだのは、真諦の翻訳によってでしたが、その真諦のごときは、四十八歳で中国にきて、七十一歳で亡くなるまでの二十数年間、南中国を転々として、流離の生涯をつづけています。短い時には数ヵ月、長くても二、三年で居を変えねばなりませんでした。

それに比べると玄奘の翻訳は実に恵まれたものでした。六十三歳で亡くなるまでの十七年六ヵ月の間に、実に七十五部千三百三十五巻の翻訳を完成しているのです。

その翻訳された経論は、広範囲にわたり決して唯識関係のものばかりではありませんが、玄奘のこころが唯識仏教の典籍にあったことはいうまでもありません。

その後の唯識の歴史の中で、根本経論とされる『解深密経』『瑜伽師地論』をはじめ、無着の『摂大乗論』、その世親の『釈』、無性（四五〇～五三〇ころ）の『釈』、世親の『唯識二十論』『唯識三十頌』『弁中辺論』、それに師戒賢から受けた護法の『唯識三十頌』の注釈などがあります。唯識関係の主要なものはすべて含まれていたといえます。

中でも後世にもっとも大きな問題を投げかけてくるのは、『唯識三十頌』への護法の注釈でした。それが『成唯識論』であります。『成唯識論』の翻訳には、一つのエピソードがあります。

最初玄奘は、『唯識三十頌』に対する十大論師の注釈を片端から全部翻訳しようとしました。翻訳の助手をしたのは、神昉・嘉尚・普光・基の四人であったといわれます。

ところが、翻訳をすすめていくうちに一つの疑問がおきてきました。それは、十人の学僧の説をそのまま翻訳するのですから、何分にも分量が膨大になります。しかも立場や学説がちがうわけですから、唯識の理解という点からいえば十人の説がいり乱れて理解が容易ではありません。前に述べたように安慧の解釈は、護法の解釈とはちがいます。難陀の説はまたニュアンスがちがっていたようですから、いったい誰の説に依って考えればよいのかとまどうだけです。

そこで、翻訳助手の一人であった基は、玄奘に、そうした機械的な翻訳でなく、誰かの説を基準にして取捨選択を加えながら一冊としてまとめあげたらどうか、という意見具申をします。玄奘は基の意見をいれ、神昉・嘉尚・普光の三人をしりぞけ、基一人を相手に作業をすすめたといわれます。もちろんその時、一つの基準として選んだのは、師戒賢より授かった護法の教説であったことはいうまでもありません。基一人を助手とし、護法の説を根幹において、他の師の説は取捨して一冊の本にまとめあげたのです。

それが『成唯識論』だといわれます。

ですから、『成唯識論』の最初に「護法等菩薩造」とあります。護法単独の著作ではないということです。

そして、その翻訳のことを「糅訳」といいます。「糅」とは、「混ぜる」という意味の字ですから、十大論師の説をいろいろとり混ぜて訳したということを表わそうとしたのです。

まあ、とにかく一つの方針を持ったその大作業は、中国の訳経史上の画期的な仕事で、玄奘の翻訳を、それ以前の翻訳と区別して、〈新訳〉と呼ぶようになります。新訳に対して、それ以前の翻訳は、まとめて〈旧訳〉といいます。

いかにそれが大きな意味を持っていたかがわかりましょう。

玄奘は未明より深夜にいたるまで、ひたすら翻訳に精魂をかたむけました。

亡くなったのは二月五日。その日を「玄奘忌」といいます。

慈恩寺（埼玉県岩槻市）の玄奘三蔵舎利塔

埼玉県岩槻の慈恩寺と、奈良の薬師寺に、玄奘さんのお骨がおまつりしてあります。

玄奘は、帰国直後、少室山（しょうしつざん）（崇山）の少林寺に入ることを願い出て許されませんでした。少林寺は人里離れた寂静の地であり、そこで静かに翻訳に専心したかったのでありましょう。

それからもう一度、五十六歳の時、ふたたび少林寺に隠退したい旨を時の皇帝高宗に願い出るのですが、これも許されませんでした。その時の理由は、体力の衰えもあったのでしょうが、「仏教の修行には、〈慧〉の修行と〈定〉（じょう）の修行とがある、その二つは車の両輪のごとく進められねばならぬ、しかるに自分は〈慧〉の修行はともかくとして、〈定〉の修行は十分でなかった、いまや幽寂の地でそれを修めたい」というのが最大の理由としてあげられています。

その翻訳作業をみると、皇帝という当時最大の権力との接近が目立ち、権力を拒否する仏教の基本の思想から見ると、何か釈然としないものがありますが、玄奘の真底には、幽寂の地での静かな禅定への憧憬がひそんでいたのでありましょう。

玄奘の〈新訳〉が発表されますと、〈旧訳〉のものの中には急に影がうすくなっていくものがありました。唯識の関係に限っていえば、真諦によって訳された『摂大乗論』などがその一つです。真諦訳の『摂大乗論』は、若き日、玄奘自身が学んだ唯識の論典であったわけですが、玄奘の新訳の出現によって、それ以後長く重視されぬことになります。

さきに見ましたように、真諦は、安慧の系統を引く学僧でありましたから、別ないいかたをすれば〈無相唯識〉の流れに属する人であり、玄奘は、〈有相唯識〉を代表する護法を継承しますから、真諦訳から玄奘訳へという転換は、中国の唯識の勢力が〈無相唯識〉から〈有相唯識〉へと変わったことを意味することになるわけです。

そしてこの現象は、遠く日本にまで影響を残すことになります。日本の唯識の主流は、明治になって新しい仏教研究の方法がとりいれられるまで、一部の例外を除いて、玄奘訳の唯識でありました。

基（慈恩大師）

さて、玄奘のもとで、ただ一人、『成唯識論』の翻訳に参加した基（窺基ともいう。六三二〜六八二）は、唯識についての細かな口伝を受けます。玄奘がもっとも愛した弟子であったのでしょうか。

『成唯識論』をはじめ、師玄奘の翻訳した経論に孜々として注釈を書きつづけます。自分の説や主張を書くのでなく、ただただ経論の注釈を書きつづけました。『論語』に「述べて作らず、信じて古を好む」という有名な言葉がありますが、基の生涯は、述べて作らず、すなわち、自分の独創や創見を誇示しようとするものではなく、どこまでも先哲の教えに参ずるというものであったのです。基の著作には『……述記』と名づけられたものが多いのですが、「述べて作らず」という敬虔な精神の現われでありましょう。

独創的な見解を主張することを有能とする価値判断からすれば、ただ先人の注釈のみをこととするありかたは無能と見えるかもしれませんが、それはとんでもないことで、先人の教えに参ずる姿勢には、人目をひくような燦然と輝くものはなくとも、深々として清冽な人間の精神があります。

基（慈恩大師）

生涯、ひたすら注釈を書きつづけたところから、基のことを「百本の疏主（しょしゅ）」と呼びます。「疏」とは、注釈の意です。

基が、注釈でなく、主体的に自分の意見を論述したのは『大乗法苑義林章（だいじょうほうおんぎりんじょう）』七巻のみです。現存する注釈は百十五巻ですので、いかに注釈に精魂を打ち込んだかがわかります。

基は、自己をおさえながら自己を表わしていきます。

その注釈のあちこちに基の体験や思索の深さを偲ぶことができます。

その注釈が基盤になって、中国・日本の唯識宗である〈法相宗〉が成立します。インドの護法から戒賢へ、戒賢から中国の玄奘へ、玄奘から基へと伝承されていった唯識仏教が〈法相宗〉であります。

基は、のち慈恩寺に住しましたので、慈恩大師と呼ばれます。

十一月十三日が命日で、「慈恩会（じおんね）」と呼びます。いまも、その日、法相宗のお寺では、古式の通りに厳粛な問答論義を中心とした式典がおこなわれます。

基について、面白い二つのエピソードがあります。

基は、子供のころから、英邁で人目をひくほどの容貌を備えていたようです。道で遊んでいる姿を通りかかった玄奘が見つけ、自分の弟子にならぬかと声をかけます。

その時の基の答えが、面白いのです。

自分に、世欲を断たぬこと、葷血（くんけつ）を食べること、午後食事をすること、この三つを許すならば弟子になってもよいというのです。

「世欲」が具体的にどんな欲を指すのかそれだけでは不明ですが、あとのエピソードと比べると、どうも女性との交際のようです。「葷血」というのが、いまのところ私にはわからないのですが、「葷」はニラやニンニクのようなくさい野菜のことで僧には禁じられている食物です。「血」は、そのまま血の料理なのでしょうか。中国にはかなりそういう料理もあるようですから、血料理をいうのかもしれません。もちろん、どんな料理にせよ、動物の血液料理が僧に許されるはずはありません。第三の午後の食事というのは、僧の戒律に、午後は食事をしてはならぬというのがあり、基は、それを守らないぞといっているわけです。坊さんにならないかというさそいに対して、おそらくは認められぬであろう決定的な三条件を出したわけです。

ところが玄奘は、それをのむのです。

「よろしい、三つを許そう。私の弟子になれ。」

そこに、玄奘と基という千載不朽の二人の宗教的師資の出会いがありました。

それで、出家以降の基に「三車和尚」というもう一つのエピソードがつけ加わります。

基は、坊さんになってから出かける時、三台の車をつらねて街を行ったというのです。前の車にはいっぱいの経典を積み、真中の車に自分が乗り、後の車には、こともあろうにぜいたくな料理と遊女を乗せて行ったというのです。

ずいぶんふざけた話です。

まじめな僧のなしうる話ではありません。

ですから、この二つのエピソードについては、捏造だというかなりの批判があります。

たしかに、こんなことが実際にあったとは現代の常識からは想像できませんので、後人の捏造かもしれません。しかし、私は、このエピソードには、唯識仏教の非常に大切な一面が象徴的にかくされているように思えてならないのです。

それは、唯識仏教というのは、決して理論や理想をのみ追い求める仏教ではないからです。唯識仏教ぐらい、仏教の流れの中で人間の現実に密着した仏教はないからです。もっとも人間学らしい人間学が唯識だからです。その唯識仏教の中でも、護法→玄奘→基とつながる唯識は、またひときわ人間くさい唯識だといえるということはすでに述べた通りです。

人間が聖なるものを求めるのも生来の本能かもしれませんが、美味しいものを求め、美しい異性にこころを魅惑されるのも本来の姿でしょう。美味しいものへの感覚も、美しい異性への憧憬をも持たぬ朴念仁に、何ができるかとさえいってよいのです。

そう思うと、基が、聖典と美女を従えて歩いたというこのエピソードは、たとえ後人の捏造であるとしても、基の宗教の核心を見事に表わしたものといえぬでありましょうか。

とりすました、やんごとなき聖人などに、唯識仏教は無縁かもしれません。

このエピソードにはさらにもう一つ、落ちがついています。

基の行状を正すために、文殊菩薩が、一人の老人に変現して道で待ちうけ、それを戒めたというのです。それを聞いて基は翻然悟るところあり、三車を捨てて立ち去ったというのです。文殊菩薩が示現したなどというと、もうかなり作り話めいてきますが、この話の真意は何か、ということは考えてみておくことは無駄ではないように思われます。

この最後の話の一番大切な所は、経典を積み込んだ前の車までも捨てて立ち去ったというところにありましょう。遊女を乗せた後の車を捨てるのはこれは当然のことでしょう。問題はさらに経典までをなぜ捨てたのか。経典は神聖であり、僧としては命をかけても守り通すべきものではないのか。なぜそれを基は捨てたのか。

ここが味わいのあるところですが、大乗仏教の極致は、俗を捨てるのと同じように聖をも捨てるのです。俗はよくない、聖は立派だというような価値判断を私たちは持っています。ところが、聖が聖なることをひけらかしてくると、元来きよらかであるはずのものが、はなもちならぬものに変化してしまいます。信仰の押しつけになったり、善意の誇示になって、せっかくの善き行為が、臭気を発してきます。道徳運動や宗教信者の集まりによくみられる一種異様なくさみが、私は生理的に好きになれません。

ほんとの善や聖は、そういうくさみが抜けきるのではないのか。もっとも平凡にかえるのではないか。もっとも聖なるものは、もっとも平凡なものではないのか。きわめて自然に帰るのではないのかとひそかに思っています。いかにも善人らしい、いかにも聖僧らしい、そんな匂いのぷんぷん残っているうちは、所詮、俗とたいして変わらぬ領域にあるのではないか。真の聖は、俗と聖というような、右でなければ左というような次元のものではないのではないか。

この寓話は、最終的に、俗はむろんのこと、経典をも捨てた、遊女を捨てるだけでなく聖典をも捨てた、なかなか含蓄ある話ではありますまいか。

『維摩経』(ゆいま)という経典の中に、諸菩薩や大弟子たちに一人の天女が天華を散らしたところ、諸菩薩にふりかかった華はみな大地に落ちてしまったのに対して、大弟子たちにはぴったりくっついて離れなくなってしまった、大弟子たちが神通力をもってふり落とそうとしても落とすことができなかった、という一段があります。くっつくのは花弁ですから、悪いものが着くわけではありません。おそらく美しくなるのです。それならそれでよいではないかとも思うのですが、善が鼻についたり、聖が聖人くさくなれば、もうそれは善でも聖でもなくなる、そういうところに人間のすぐれた境域を見ようとする大乗仏教を、私は実にすばらしいと思います。

慧沼

基のあとを継いだのは慧沼（六五〇～七一四）でしたが、伝記は不詳です。『成唯識論了義灯』という本を残しており、これは、基と同じく玄奘のもとで唯識を学んだ円測（六一三～六九五）やその流れを汲む道証（伝不明）の学説を批判したものでした。師匠の基の系統を正統化するための批判であろうと思いますが、ただ慧沼の円測批判はかなり精細ですから、唯識の問題を分析的に考える手がかりを与えることになりました。批判には他の欠点を指摘しながら自説を明確にするという利益があります。

日本では、儀式で盛んに〈論義〉がおこなわれるのですが、その時、慧沼の『了義灯』は、重要な参考書となったようです。

智周

慧沼の弟子に智周（六六八～七二三）という人がいますが、この人も伝記不詳で、ここで中国の唯識の伝統はとだえてしまいます。

玄奘の華やかな登場に比べて、その伝灯のたえるのが、なぜこんなにはやかったのでしょうか、不思議です。玄奘帰国後、わずか六、七十年であったわけです。

玄奘のもとには、基・円測と並んで、普光・恵観・玄範・義寂などの唯識の学僧がいるのですが、そのあとはいずれも衰退の一途をたどっていきました。

ところが、中国でふるわなかった玄奘・基の唯識が、日本では隆盛をきわめることになるのです。歴史というのは不思議なものです。

3　日本へ――先人たちのこころの探究

道　昭

玄奘→基の唯識が日本に伝わる最初のきっかけとなった人は道昭（六二九〜七〇〇）でした。

道昭は、玄奘のもとに留学します。入唐は永徽四年（六五三）、帰国は斉明天皇七年（六六一）といわれます。かなり長期の留学です。道昭は唯識を伝来しえなかったろうという説もありますが、道昭が玄奘のもとに到着した時には、すでに、唯識の根本聖典『解深密経』も『瑜伽師地論』も、『唯識三十頌』『摂大乗論』『摂大乗論世親釈』『摂大乗論無性釈』などはすでに翻訳が完了していますし、在唐中に、ほかならぬ『成唯識論』も完訳されていますので、内容の理解がどこまでできたかどうかは別として、本そのものは持ちかえることは可能であったといえましょう。『正倉院文書』には基の『成唯識論述記』も持ちかえったことになっているそうですが、これはちょっと無理かもしれません。

というようなわけで、やはり、玄奘の翻訳にもとづく唯識を、日本に最初に持ちかえったのは、道昭であったといってよいでありましょう。

帰国後、道昭は、奈良・元興寺の東南隅に「法相禅院」を建立し、七十二歳でなくなるまでそこに住しました。「禅院」という名を付しているあたり、決して仏教を知的に理解するのみでよしとする人でなかったことを物語っています。あるいは、玄奘が、少林寺隠退を願い出たのが、道昭在唐中のことですから、暗黙のうちに師の影響をうけていたのかもしれません。金達寿さんの『行基の時代』には、朝晩かなりの坐禅がおこなわれていたように書かれています。道昭は亡くなると火葬にされました。日本最初の火葬でありました。

智通・智達

道昭に数年おくれて、智通・智達という二人の学僧が、やはり玄奘のもとに留学したといわれます。道昭と同じ時期に勉強したことになるのですが、なんにも記録が残っていないのでたしかなことはわかりません。

道昭を初伝とするのに対して、これを第二伝と呼びます。

智鳳・智鸞・智雄

それから約半世紀経って、智鳳・智鸞・智雄の三人が入唐します。その時、中国のほうは誰の代になっていたのか。慧沼とも智周ともいわれます。何分にもそのあたりの資料が少なく、いずれとも定かではありません。

ただ、一つ確実にいえることは、基・慧沼・智周と三代たつうちに唯識の研究が、精細厳密になっていたことです。

この三人は、第三伝と呼ばれますが、詳しい伝記はわかりません。

玄　昉

第三伝の三人が渡唐後十四年経った養老元年（七一七）の遣唐使の一行に、一人の学僧が従っていました。玄昉（六九一〜七四六）です。

玄昉は二十年近く中国にあって、唯識を学びます。慧沼はすでになくなっていますから、智周についたものと思われます。

多くの経典・仏像を持って帰朝するのですが、それは奈良の興福寺に納められました。

玄昉は、興福寺に住して唯識を講じますが、宮廷との接触もかなり強い人で、天平九年（七三七）には僧正に任ぜられ、紫衣を賜わったといわれます。高徳の僧に朝廷から紫衣を下賜されるという風習は、玄昉にはじまるといわれます。いかに玄昉が、宮廷と密着していたかを語るものでありましょう。

しかし、それがかえってあだになり、晩年には追われて、九州にとばされ、そこで殺されてしまいます。権力抗争の世界の宿命でありましょう。

『扶桑略記』によれば、首が飛んで興福寺の門前に落ちたといわれています。波乱の生涯であったというべきでしょう。

ただ、彼の学んだ唯識は、中国で慧沼・智周と大成された、厳密な唯識学でありましたので、その学風が、興福寺に伝わることになります。

このように、玄奘を中心とした中国初期の唯識学のふんい気は、道昭を通して元興寺に伝わり、慧沼・智周の完成期の学風は、興福寺に伝わりました。中国で姿の消えてしまった護法・玄奘・基の〈有相唯識〉は、海を隔てた日本で、その全体像を残すことになったのです。元興寺の伝統は、しかし、百五十年ばかりで衰え、興福寺の唯識学の中に吸収されていきます。

ところで、第四伝の玄昉についてですが、松本清張さんが『眩人』という小説で興味深く扱っておられます。玄昉は、唯識学もさることながら、拝火教（ゾロアスター教）との関係で見るべきことを小説として構成しておられるのがこの作品のテーマです。

行基・護命・明詮

その後、元興寺の系統には、行基（六六八〜七四九）、護命（七五〇〜八三四）、明詮（七八八〜八六八）があり、明詮を最後に興福寺の系統に吸収されていきます。

行基は、行基菩薩と呼ばれた人で、あちこちで、架橋・修堤・通路など社会事業とも呼ぶべき分野に活動をした人ですが、唯識仏教については、書かれたものとしてはこれという何ものも残っていません。

護命は、多くの書物を著わしたようですがほとんど散佚してしまい、現存しているのは『大乗法相研神章』のみです。これは、各宗の仏教の特色をとらえながら、唯識仏教の特徴を紹介した書物で、その広い素養を窺わせるものです。護命で有名なのは、最澄が比叡山に戒壇を作り、新しい戒律の思想を主張しようとした時、伝統の解釈に立つ南都の人たちの先頭に立って最澄批判をしたことでしょう。

弘仁十四年（八二三）、比叡山の戒壇が許されると同時に、護命は隠退しました。

明詮は、多武峯の「音石観音」に住し、そこで亡くなりましたので、「音石の明詮」と呼ばれます。『導論』『裏書』と呼ばれる『成唯識論』の注釈を残し、日本人が、唯識を理解していくのに大きな功績のあった人です。『導論』『裏書』というのも、それは自分の意見や解釈を書きつけたのではなく、中国の注釈を抜粋したもので、正しさで定評があり、のち真興が、『成唯識論』訓読の定本を作る時の最大の道標としたものです。いまでこそ、私たちは、『成唯識論』を訓読し意味を理解することが容易になっていますが、先人たちが、どんなに苦労をしたか、どう読み下すかということに、どんなに心血をそそいだか想像にあまるものがあります。

明詮には、『元亨釈書』にこんな逸話が記されています。ある日、外出しようとして門までやって

善珠の墓（奈良・秋篠寺）

きた時、にわか雨が降り出しました。動くこともできず、ひさしの下に立って見るともなく雨だれの落ちるのを見ていますと、雨だれのために石がうがたれております。至柔が至堅を穿つ。方円の器にしたがって柔軟に姿を変ずる水が、もっとも堅固な石に穴をあけているのです。明詮は、学問もこれと同じであろう、怠ることなく励んだならば、難しい仏教の学問もわからぬはずはあるまいと志を堅固にしていったというのです。

以上の元興寺系に対して、興福寺の系統にもすぐれた学僧たちが現われます。

善珠

その第一は、玄昉の弟子の善珠（ぜんじゅ）（七二四〜七九七）でありましょう。秋篠（あきしの）寺に隠退したところから、「秋篠の善珠」と呼ばれます。仏像の好きなかたならご存知の、妖艶なお姿で有名な「伎藝天」のおまつりしてあるあの秋篠寺です。寺の境内のはずれに、善珠の墓があります。

奈良時代の最高の学僧といわれる人ですが、伝によれば、少年のころは性、魯鈍であったといわれています。決して神童ではなかったのです。ただ、善珠はそれを恥じ、奮起して勉強しました。夏の暑い時も休むことなく勉学に励み、頭はできもののため熟瓜のようになり、髪も抜け落ちたといいます。汗もでもあったのでしょうか。奈良時代きっての学僧は、努力の人でありました。

善珠の学風で一つ特記しておかねばならぬことがあります。それは、善珠の著作には、中国では異端の説として、慧沼にこっぴどく非難された円測の学説が、基の学説と対等に評価されていることです。「基も円測もともに祖師の一人である。基の説のみをとりあげて、円測の説を退けるのは、片手落ちであろう」と述べている所もあります。一つの識見をもって円測説を評価しているわけです。

円測は新羅の人でした。日本の古代文化が朝鮮半島の文化と深く結びついていることはよく知られている通りであり、道昭・行基・玄昉も、そして善珠自身も、朝鮮より渡来した人の子孫でありますので、そういう文化的・社会的・血縁的背景のうえに、この善珠の主張をのせてみなければならないことはいうまでもありませんが、この善珠の円測説への態度は、のちの日本の唯識学研究の基本姿勢として継承されていきます。のちほど触れることになる『本文抄（ほんもんしょう）』という書物の中には、さかんに円測説が引用されておりますし、『同学鈔（どうがくしょう）』という論義を集めた書物の中にも、円測説の正しさを論証した議論が収録されています。

円測の学説を神経質なまでに拒絶していこうとした慧沼の説への一面の批判ともいえましょう。さきにもちょっと述べましたように、慧沼の『了義灯』は論義の無上の参考書でありました。そこからどれだけ論義のテーマをとりあげてきたか、『同学鈔』を見ると歴然としているのですが、それは盲従的なものではなかった証拠といえます。

徳一

生没も生涯の行跡も、謎の部分の多い人ですが、忘れられぬ人に徳一（とくいち）があります。興福寺で唯識を学び、生涯の大部分を会津の慧日寺や筑波山で送り、多くの人の尊崇を集めたと伝えられています。

この人がなぜ忘れられぬ存在なのかといいますと、最澄と仏教の教義について激しい議論をたたかわせた人だからです。

最澄は、五十歳の時、弘仁七年（八一六）、上野の緑野（みどの）寺、下野（しもつけ）の小野寺に下って伝道活動をしました。それに対して、唯識仏教の立場から、教義の内容についての議論をたたかわせたのが徳一でありました。ほとんど資料は残っていないので、具体的にどんな議論が交わされたのか、いまでは詳細はわかりませんが、残っている一部のもので見る限り、かなり激しい議論であったようです。

議論の争点は、人間の見かたの立場のちがいです。最澄は、人間を、普遍的真理に立って平等性を強調する立場に立っています。〈一切衆生悉有仏性（いっさいしゅじょうしつうぶっしょう）〉とか〈一切皆成仏（いっさいかいじょうぶつ）〉などの語で、よくいい表わされるように、すべての人間は、みな平等に基本的には神聖な仏の性質を有している、したがって、誰でも仏に成れるという思想です。仏とは、いうまでもなく、覚者の意で、人生を深い自覚を持って充足した主体性に生きる人のことです。

それに対して、徳一のほうは、現実の人間の性格や能力のちがいを無視できぬものとして重視する見かたに立ちます。むろん平等性の理論を否定するのではありませんが、実際は人間は一人ひとりちがっている、親子でも兄弟でも、それぞれ別々の資質を持っているではないか、気質に恵まれて、仏教の修行を完成していく人間もあるが、全員がそうであるとは限らない、生涯、仏教などには興味も関心も示さないで終わる人もあるし、熱心に勉強しながら、どうしてもものにならぬ人もある、どうしてもピントの合わぬ人もあるし、自分だけの修行に精一杯で、人のことに気を向ける余裕のない人もある、人の器量資質は多様である、それが現実ではないか、という立場に徳一は立ったのです。

その徳一の立場は、実は〈有相唯識〉——護法→玄奘→基と伝承された法相宗の立場であることはいうまでもありません。

すべて人間は平等だという真理を強調する最澄の立場を一乗（いちじょう）仏教というのに対して、個人の人間のちがいを重視する徳一の立場を三乗（さんじょう）仏教といいますが、徳一は、三乗仏教の立場に立って、一乗仏教に立ち向かったといえます。

実際の人間は、みな平等だという面と、一人ひとりがちがうという面と両面を備えているわけですから、どっちもまちがいとはいえません。ただ着眼し重視する面がちがうにすぎないのですが、こういう議論というものは、どっちにも正当性があるため、エスカレートすると、なかなか決着のつかないことがあるものです。はたから見れば、それほどにまで固執しなくてもよかろうと思われることも、当人には、命をかけた人生観の問題ですから、一歩もあとに引けぬことが十分にあるのです。

人間を平等という面で捉えていくか、個々の存在のちがいという面で捉えていくかということの対立は、日本では長くあとを引くことになります。

平等を重視する立場を〈一切皆成仏〉説というのに対して、ちがいを強調する立場を〈五姓各別〉説といいます。

〈五姓〉とは、菩薩定姓・独覚定姓・声聞定姓・不定種姓・無性有情です。

〈菩薩〉は、存在の真相を真に会得し、自利・利他の行願に生きる人。〈独覚〉は、個人的には、高い境地に到達するものの、どちらかというと孤高を楽しむ傾向が強く、菩薩のように、利他――人の世話をするという面までは備えていません。〈独覚の捨悲障〉という語もあるくらいです。個人的には立派だけれども、慈悲の欠けているのが欠点だというのでしょう。〈声聞〉は、声を聞くと書かれているように、仏の説法を聞いて、ひたすらそれに従って修行する人たちです。真摯な人たちですが、器が小さいとでもいいましょうか、菩薩ほどの豊かさもなく、独覚ほどの鋭さも持ちあわせぬ人たちです。しかし、修行を積めば阿羅漢果を成ずるのですから、真面目で、立派であるという点では立派なのです。阿羅漢果とは、個人的な修行が完成し、我執が完全に払拭された境地です。〈不定〉というのは、上の三類の人たちが、「定」という字が使われているように、機根がきまっているのに対して、きまっていないということです。はじめ声聞であった人が、修行が熟するにつれて菩薩へ変わっていく、独覚である人が菩薩になる、そういうように変わっていくのをいいます。不定ですから、声聞から独覚に変わったり、声聞→独覚→菩薩と変わったり、いろいろなタイプがあるわけですが、ふつうは声聞→菩薩、独覚→菩薩のケースを指します。人が、ある日、ガラッと変わる。そういうことを経験することがあります。そういうことを捉えようとしたのでありましょう。

「士は別れて後三日、刮目して相待す」といいます。士は三日別れていると、目をかっと開いて会うということで、わずか三日の間に人間が変わることをいうのです。変わる時には、人はわずか三日でもガラッと変わるのでありましょう。

人間の変わる事実の把握として、それはそれで人間の真実を捉えたものですが、唯識仏教としては、どうしてもこの〈不定種姓〉は捨てられませんでした。それは、唯識仏教の大成者である無着も世親も、はじめは、声聞・独覚の修行をしていて、途中で大乗に転向した人たちだからです。ふつうそれを小乗より大乗への転向というのですが、〈五姓〉の中にあてはめるとすると〈不定〉以外にはないことになりましょう。

小乗から大乗へ、声聞・独覚から菩薩へと迂廻しながら仏道をすすむものを〈廻心向大の菩薩〉〈廻小向大の菩薩〉〈漸悟の菩薩〉などと呼ぶことは前に述べた通りです。それに対して、最初から、まっすぐ、ひたすらに菩薩の道をつきすすむものを〈直往の菩薩〉〈頓悟の菩薩〉といいます。

ウロウロしているようでは駄目だと切り捨てないで、迂廻する人たちをも菩薩として位置づけられているのはすばらしいではありませんか。

最後の〈無性有情〉は、仏の性質を持たぬ人間です。すべての衆生を救おうとされる仏陀の真精神にてらして、仏の性質を持たない存在を定立したということは、大変な決断であったでありましょう。

これは当然、四方八方から非難をあびせられることになります。しかし、護法は、現実社会の中には、所詮、仏教の真意のわからぬ人たちのあることを寂しいけれども認識せざるをえなかったのでありましょう。

残念だけれども現実にはそういう人たちのいるのを否定できません。

それは、仏教や仏教の本や教団に理解を示さぬというような次元でいっているのではありません。どうもあちこちで飛躍してしまって申訳けないのですが、仏教というのは、この社会の価値観を超えた別次元の価値の世界に目を開くことです。しかし、そういうものの見かたにまったく無関心な人があるものです。教養もあり人間的にも立派でありながら、仏教の目から見ると、もう一つ何か現社会を突破したものが欲しいなあと思う人があるものです。

仏教のことを、よく浮世ばなれをしているとか、出世間的だとかいいますが、それは決して山の中に隠遁することのみをいうのではなく、精神の中に超越した視野を持つことです。名声とか出世とかお金とか肩書きとかそういうものによってのみ自分の行動や思考をきめないで、利害損得も、人間社会のきまりも超えた、もっと悠久な存在の真相のうえに立って、ものを考えるという領域を持つこと、それを指すのだと思います。

そして、〈無性有情〉とは、それにまったく無知の人を指すのでありましょう。

ところで、この〈五姓各別〉というのは、人間を気質や能力によって五種類に分けたものですが、大切なことは、これはどこまでも仏教とのかかわりによる人間の分類だということです。

人間の分類には、さまざまの分類があるわけです。頭のよしあし、腕力の強弱、背の高低、容貌の美醜、金のあるなし、博学と無学、字の上手下手、資本家階級と労働者階級等々、あげればきりのないくらい人間の分類の角度はあります。

〈五姓各別〉は、〈空〉という仏教の真理にてらして、それにどのようにかかわりうるかという、ただそれだけの基準によって見たものであって、それ以外の何ものでもありません。

思い切ったいいかたをするならば、人間を、精神の品位によって分けた見かたであります。

仲　算

最澄・徳一の論争の延長線上にあるのは、有名な「応和の宗論」です。応和三年（九六三）、清涼殿で、南都北嶺の碩学が、一乗対三乗の議論をしたもので、三乗の代表としてそれに臨んだのが、仲算（ちゅうざん）（九三五～九七六）でした。

この論争は、法相宗の側は三乗が勝ったといい、比叡山のほうは自分たち一乗仏教のほうが勝ったといって、事実ははっきりしませんが、面白いエピソードが伝えられています。

それはこんな話です。比叡山のほうから、『法華経』の「無一不成仏」という一節をとりあげて、これは「一として成仏せざるは無し」つまり、一人も成仏しないものはないということだから、成仏できぬ〈無性有情〉などというものはないと三乗仏教を批判したのでした。当然、三乗仏教としてはこれに反論しなければならぬのですが、なにしろ提示されたのが『法華経』という権威のある経典の一節であり、そこにはっきり「一人も成仏せぬものはない」と明示されているのですから、みな声をのんでうつむいてしまったといわれます。

その時です。南都の代表として派遣された仲算は、「そうではない」と反撃します。

「それは、『一として成仏せざるは無し』と読むのではない。『無の一は成仏せず』と読むのだ。その『無』とは、〈無性有情〉のことである。したがって、経典の真意は、〈無性有情〉の一種類だけは成仏できぬということだ」というのです。

仲算は、そういって反論したのですが、経典の一節をめぐって普遍的な平等を強調する見かたと、機根のちがいを重視する見かたとが、そのように対立していたのです。

真興

仲算の弟子に真興（九三四〜一〇〇四）があります。

子島寺にいましたので「子島の真興」と呼ばれるのですが、その著作『唯識義私記』は、日本のうみ出した最高の唯識典籍の一つです。それは、基の『大乗法苑義林章』の中の「唯識章」という一章の注釈ですが、問答体ですすめられる論理の運びは、透徹していてすばらしいものです。

だが、真興の最大の功績は、なんといっても『成唯識論』訓読の基礎を確定したことでありましょう。真興は、さきにみた明詮の『導論』『裏書』や先人の業績を吸収しながら訓点を整理していったのでした。それを「真興点」といい、それ以後の訓読は、それに負うところが非常に大きいのです。

真興は明詮の点を基礎にしたといわれますが、明詮は元興寺派の人であり、真興は興福寺系統の人ですから、真興の意識の中には、そういう派閥の狭い対立感情のごときものはなかったようですし、そのころ、すでに元興寺の系統は興福寺の系統に合流していっていたという証拠でもありましょう。

真興は、僧としての出世栄達にはあまり関心がなかったのか、それとも出自等なんらかの理由で出世コースをはずれていたのか、吉野に近い子島寺で生涯を終わります。俗姓、生国など不明の人ですが、『私記』の類い稀な透明な文章からうける感じは、純粋な学究の徒ではなかったかと思います。

真興には、もう一つの密教僧という一面があります。密教のほうでは子島流の初祖といわれるのですが、こと唯識に関しては、そういう面を窺わせる面はまったくありません。唯識は唯識として、きちっと正統な伝統にのっとって思索がすすめられています。

貞慶（唐招提寺蔵）

貞慶

日本の唯識学の歴史のうえで、忘れられぬ人に貞慶（じょうけい）（一一五五～一二一三）があります。貞慶は、鎌倉時代、仏徒の自己浄化を叫んで戒律復興運動に活動しましたし、法然門下の専修念仏を批判したことで有名でありますが、高潔清廉な生涯を送りましたので、解脱上人と尊称されています。日本仏教史のうえでは、戒律復興や専修念仏批判のほうが大きくとりあげられますが、唯識仏教の面では、多くのすぐれた著作もさることながら、もっとも大きい仕事は、論義の集成を指導したことでありましょう。

貞慶は京の人で、幼にして興福寺覚憲の弟子となり、唯識学を学びました。ところが、治承四年（一一八〇）貞慶二十五歳の時、平重衡の攻撃にあって、東大寺・興福寺は完全に焼きはらわれてしまいました。この戦火のために、東大寺も興福寺も、すべて灰燼に帰しました。経蔵に保存されていた多くの文化財も焼失してしまったわけです。

現在のように、一冊の本が何千も何万も印刷されて、全国に出まわるというようなことのなかった時代です。一冊一冊が貴重なすべてでありました。非常に残念なことは、唯識の面でいえば、円測の『成唯識論疏』が焼失したらしいことです。円測については前にも述べました通りに、中国では、慧沼のきびしい批判をうけながら、日本では、基と対等に扱われた唯識の一方の雄です。しかも、その治承四年に亡くなった蔵俊の作と伝えられる『成唯識論本文抄』には、円測の『疏』の文章が、かなりたくさん抜粋されているのです。『本文抄』は論義のための資料集のような性格の本で、多くの経典・論典・注釈書の中から、そのテーマに関係する場所を抜き出したものの集成ですが、その中には、他の書物と並んで、『円測疏』がしばしば紹介されているのです。つまり、蔵俊の時代には、『円測疏』は存在していたし、誰でも利用できる書物であったといえるわけです。ところが、治承四年以降の本には『円測疏』が登場しなくなります。まったく姿を見せぬわけではありませんが、どうもそれは、慧沼の『了義灯』に引用された範囲のもので『円測疏』自体を直接見たものではないようです。治承四年以来、『円測疏』はみられなくなりました。おそらくそうたくさん輸入されてはいなかったでありましょうから、全部焼けてしまったのでしょうか。中国にも朝鮮にも残っていません。戦争のもつ憎むべき犯罪の一つでありましょう。

人間の精神の産み出した高貴な文化を、人間はその同じ精神でもってみずからの手でなぜ滅ぼしていくのでしょうか。

さて、貞慶は、二十六歳——いまでいえば、学問の基礎もでき、一つの識見も備わってくる大学院の年齢ですが——そこで、先人の高潔な精神の所産が、ただ権力に驕る武士の手にかかって、はらはらと灰に化していくのを目前に見ざるをえなかったわけです。

その時、貞慶の胸中に何が去来したのでありましょうか。貞慶の弟子たちによって、のち『成唯識論同学鈔(どうがくしょう)』という日本唯識の最大の著作が編纂されますが、その指導にあたったのは貞慶といわれます。治承四年の彼の体験を思う時、なにかうなずけるものがあるように思います。

『同学鈔』は、何百年にもわたる論義の草稿を、問題別に整理して編集した六十八巻という大部の書物です。書中の記録によると、少なくも二百年の期間があるようですから、長年の先人の論草を集めたのでした。中国の唯識が、基本的には注釈の唯識であったのに対して、日本のそれは、問答論義の唯識であったといってまちがいありません。その集大成がこの『成唯識論同学鈔』であったわけです。

いっさいが烏有に帰するのを目前にした貞慶にとって、残された、しかも日本の先人の論義の業績の集成は切実な念願とならざるをえなかったのでありましょう。実際には弟子の良算（りょうさん）・興玄（こうげん）などが編集するのですが、貞慶が陣頭指揮をしたことはまずまちがいのないことです。

貞慶は、戒律復興運動をおこし、当然、みずからも清廉な生涯を送りました。寿永二年（一一八三）二十九歳の時、宮中の最勝講に召され、出仕する高僧たちの法衣が華美なのを憤慨し、講が終わると笠置山に隠退したといわれます。隠退の動機には異説もあるのですが、私たちとしては、貞慶が出世コースをみずから捨てたこと、唯識学の典籍を多く残していること、『同学鈔』編纂の陰の力になったことなどを知るだけで十分でありましょう。

『同学鈔』のすばらしさは、経典・論典・注釈書などの相互にみられる矛盾や、先人先哲の意見について、遠慮のない疑問を提出しているところにあります。それは答者を試すための質問が多いわけですから、つねにかならず、真底そういう疑問を持っていたとはいえませんが、矛盾・疑問を理論正しく提出するところには、自由の精神があります。頑迷固陋ではないのです。

それが、私が唯識こそ、現代にふさわしい仏教ではないのかと思う理由の一つでもあります。一方的に権威ある教えを垂示するのでなく、討議を通して真実を求める姿勢を、日本の文化が持っていたことを、私たちは忘れてはならないように思います。

良遍

貞慶の孫弟子に良遍（一一九四～一二五二）があります。

良遍には、『観心覚夢鈔』『真心要決』『法相二巻抄』などの、大部のものではありませんが優れた多くの著作があります。唯識に関する面に限っていえば、それを三つに分けて考えることができるように思います。第一は、膨大な唯識学の組織を実に簡潔にまとめて入門書を作ったということです。『観心覚夢鈔』『法相二巻抄』がそれです。第二は、最澄・徳一以来続いていた一乗仏教と三乗仏教との対立を、唯識学の方向から統合しようとしていることです。唯識仏教の中にも、普遍性・平等性を強調する一面のあるのは当然のことでありますからそれをあらためて主張し、通常いわれるように唯識は一乗仏教と真っ向から対立するものでないということを理を尽くして精力的に論述したのが第二のグループです。『真心要決』もその一つですし『大乗伝通要録』という本もその目的のために著わされたものです。『観心覚夢鈔』も、見かたによればそれを主張した書物といえます。唯識の概説書としての役目をはたしながら、その概説の中で、ちゃんと一乗と三乗という畢生のテーマを論述し尽くしているのです。それは実に見事です。

良遍の墓（奈良生駒・竹林寺）

『真心要決』も同じテーマを扱ったもので、これは、当時、漸次隆盛へ向かいつつあった禅に対して唯識の関係を考察し論述したものです。この時、良遍は、京都・東福寺の円爾弁円のもとに教えを受けにわざわざ出かけています。弁円は中国帰りの禅僧でしたから、本場の新しい禅を聞きたくもあったのでしょうが、魂の底には、三乗仏教である唯識と、平等性を強調する新興の禅との本質的な面での一致点を求めての聴聞であったといえるのではないかと思います。『真心要決』は、ねらいも結果も実に面白いものです。禅では、この身そのままで仏であるという即身是仏を説くのに対して、唯識では生まれ変わり死にかわりして長い長い修行を積まねば成仏しないというが、その矛盾はどう理解したらよいのか。禅では、すべてのものが成仏する——一切皆成仏というのに対して、唯識では成仏できぬものもあるというが、その対立した考えかたをどう統合するのか。最澄・徳一——応和の宗論にあったあの対立抗争の論点が、良遍によって解決の糸口を与えられているのです。

しかも、こういうように、一見まったく対立的な二極の思想の統合止揚が論ぜられる場合には、ややもすると基本の組織が崩されてしまいやすいものですが、良遍はそうではありませんでした。さすが貞慶の孫弟子です。唯識の組織を微塵もゆるがすことなく、その問題にとり組んでいます。

良遍の仕事の第三は、かな書きで唯識を書いたことです。これは『法相二巻抄』に限ってのことですが、良遍は、多少煩瑣な専門的術語を思い切って平明な日本語におきかえています。現代では、サンスクリット語やチベット語から平易な日本語に翻訳された経典や論典がたくさん刊行されていますが、良遍が出るまでの唯識仏教の歴史では、主流は決してそうではありませんでした。玄奘の翻訳の語により、そのテキストに全面的に依存し、基や慧沼の注釈を忠実にくりかえすこと、それが唯識の歴史であったといってもよいくらいです。自分たちの日常の言葉にいいかえるという努力は、少なくとも書かれたもののうえにはないのです。

良遍の時代には、仮名法語とか和讃など、かな文で仏教の深遠な教理を説くことがあちこちで試みられていましたので、あるいは良遍にもその影響や意図があったのかもしれません。『法相二巻抄』は、年老いた母に、手紙として唯識の要点を書き送ったのを、弟子が書き留めたものといわれています。

> 凡夫の心の底に常に濁りて、先の六の心はいかに清くおこれる時も、我が身我が物と言う差別の執（しゅう）、失せずして、心の奥はいつとなくけがるるが如きなるは、この末那識の有るによりてなり。

のちほど、〈末那識（まなしき）〉という、人間の利己性・自己中心性・自我意識などという面に触れることになるのですが、良遍のこの短い文章は、伝統的な術語をほとんど使わないで〈末那識〉の本質を説きえて絶妙であります。理解の深さも当然ながら、それが真に自分のものとして魂の底に浸透し血肉化されている点を見落としてはならないでありましょう。

光　胤

室町時代に入って、光胤（こういん）（一三九六～一四六八）の『唯識論聞書（ききがき）』という本が残っています。これも、良遍の『法相二巻抄』とはまったく別の意味において、日本思想史の中に特記されるべき本でありましょう。

二十七巻の大部の書物ですが、中身は、せいぜい十名前後と思われる人たちが集まっての『成唯識論』の演習の記録です。ゼミナール風景とでもいってよいでしょうか。中心の読師の解釈に対して、誰がこういう質問をした、それに対して、誰が反対意見を出し、誰が別の解釈をしたなどということが、毎回毎回記録されているのです。記録したのが光胤でありました。知性にもとづく実に自由な対論の様子がいきいきと描かれています。会が終わったあと、自分の坊に帰ってメモを頼りに書きとどめていったわけです。

光胤以降も、もちろん、唯識の学僧は連綿として今日まで続いているのですが、光胤で一応打ちきることにします。日本の先人たちが、護法・玄奘・基の〈有相唯識〉をどのように研究しどのように消化したかという大きな流れの記録は、そこで終わったと考えてよいかと思います。それ以後は、光胤までかかって築き上げられてきた伝統を継承し、深めていった歴史といってよいのではありますまいか。

第三章　不可得のこころ

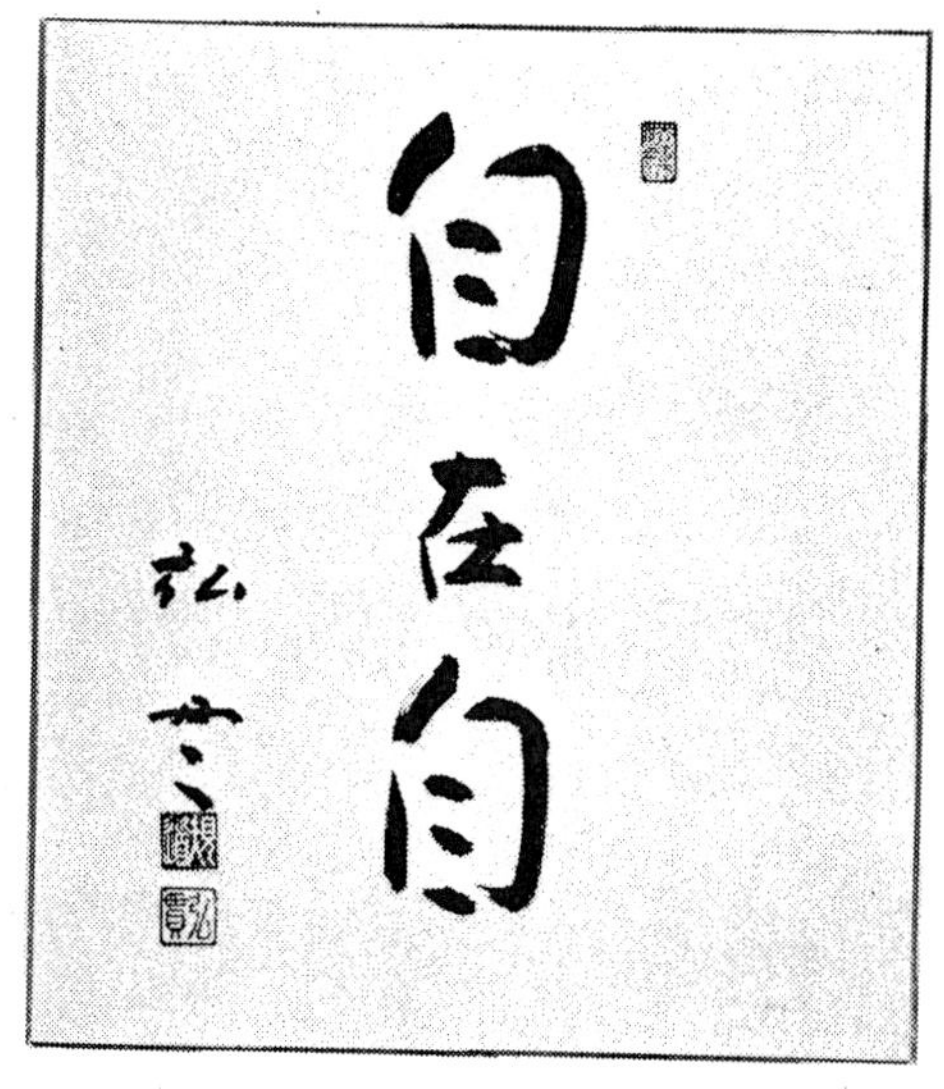

達磨（白隠自筆）

達磨と慧可の問答

中国に禅を伝えたのはインド僧菩提達磨でした。達磨の変わっているところは、中国に入ると崇山の少林寺に入ってただひたすら坐禅のみに没頭し、布教伝道活動の類いはいっこうにしようとしなかったことです。有名な面壁九年という言葉はそこから生まれたものです。しかし、偉い人間のうわさというものは、黙っていても誰からともなく伝わるものです。

のちに達磨の法を嗣ぐ慧可（四八七～五九三ころ）が入門を求めてやってきます。「弟子にして欲しい」「しない」の問答のやりとりや、これも有名な断臂の話が伝えられているのですが、その問答の中に次のような応対があったと『景徳伝灯録』は伝えています。

慧可は何かを悩んでいたのでありましょう。達磨に向かって、「私は心が安らかでありません。どうぞ心を安らかにして下さい」と頼むのです。達磨は、「よし安らかにしてあげよう。おやすいことだ。その心をもって来なさい」と答えます。

慧可は、はたと困ってしまいます。「心をもって心を求むるに不可得」――心で心を探し求めましたが、遂に心を得ることはできませんでしたと。

それを聞いて達磨は、「汝の心を安んじおわんぬ」というのです。

「心をもって心を求むるに不可得」

なぜ、いきなりこんな話を持ち出したのかといいますと、慧可の「心をもって心を求むるに不可得」という語を考えておきたかったからです。

前にも述べましたように、私たちにとってもっとも確実なものは、自分のこころであり、私たちを取り囲む環境世界も、すべて、私のこころのうえに現われ捉えられたものであって、こころこそが、私たちにとって、もっとも確実なものといわざるをえません。こころを離れて自分についての自覚もありませんし、周囲の事物の認識もありえません。

そのことは裏からいえば、こころをあきらかにすれば、自分も周囲の事物についてのかかわりもあきらかになるということでありましょう。

唯識は、その道を進んでいこうとするわけです。

ところで、そのこころをあきらかにしていくのは、いったい何がしていくのでありましょうか。いうまでもなくそれもまたこころです。こころ以外にはありません。こころをあきらかにするのはこころそのものです。ものを認識するのもそれについて推理・判断するのもこころですから、こころを考えるのもこころということになります。慧可の「心をもって心を求む」というのは、そのことをいっているわけです。

ところが、心をもって心を求むるに、心は得られない――心不可得という矛盾撞着にぶつかってしまいます。

なぜ、こころは不可得なのか。

それは、(1)こころは対象を知る働き自身だから、対象化できない、(2)対象化されたものはすでにこころそのものではなく、こころの影にすぎない、といえるからです。

図のAは、対象化されたこころですから、こころそのものではなく、いわば、こころの影です。こころそのものは、それをみているBです。そのBを対象化すると、つまりB′にしてしまうと、もうすでにそれはこころそのものではなく、こころそのものは、Cに移っているわけです。対象を見、対象を知る働き自身がこころなのですから、それを対象的に向こうにおいて、これがこころだと考えると、それはすでに対象化された段階でこころそのものではなくこころの影になっているわけです。そして対象を知るこころ自体は、一歩後退してうしろに移っています。唯識では、対象を〈所縁〉、それを見たり知ったりする面を〈能縁〉というのですが、こころはどこまでも〈能縁〉そのものですから、〈所縁〉として向こう側に置かれた瞬間に、〈能縁〉そのもののこころではなくなります。実はこころは〈能縁〉のみがこころなのではなく、〈所縁〉もまたこころの現われたものであり、〈能縁〉〈所縁〉の全体がこころであるとするのが

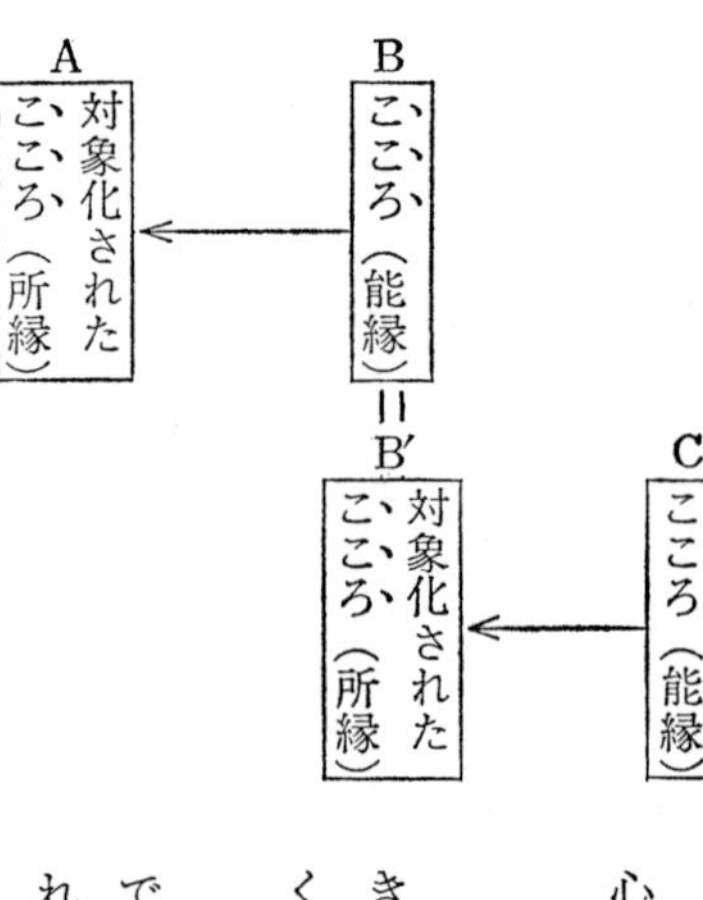

唯識の根幹ですが、ここでは一応、対立したものとして考えておきます。

話をもとにもどしますと、音楽にひき込まれて一心不乱に聞いている時、その自分の状態を反省しようとすると、その瞬間に、音楽に聞きほれていた状態でなくなります。反省によって、聞きほれていた時の状態を思い出すことはできても、その時にはすでにその状態ではなくなっているのですから、いくら正確に思い出したとしてもその状態そのものではありません。

自分のこころの状態を自分で知るということは、実に困難なことであり、結局は不可能、不可得のことであるといわねばならぬようです。

その人のその人らしさは、その人が何かに無我夢中で没頭している時に一番よく現われますが、しかも、没頭しているその時は、自分でそれがどういう状態なのかを考えることはできず、考えた時には、無我夢中でなくなっているのですから無我夢中は消え去っています。

「心をもって心を求むるに不可得」というのがこころ探究の宿命的な背理でありましょうか。

言葉の限界

唯識は、こころを求むる仏教です。

その矛盾をどのように受け取ればよいのでしょうか。究極的には、「心不可得」というのが真理かもしれません。

しかし、そういい捨ててしまったのでは、何もはじまらないわけです。唯識は、十分それを承知のうえで、なおかつ、こころを対象化して探究することを求めていきます。対象化されたものはこころそれ自体ではない、こころの影にすぎないかもしれない。しかし、その方法以外に、自分のこころの実態をあきらかにする方法はないのではないか。〈能縁〉の働きを〈所縁〉に転化してしまえば〈能縁〉ではなくなるけれども、それしか、〈能縁〉の相を知る方法はない。唯識はそうした撞着のうえにこころの探究を展開せざるをえませんでした。

良遍の『観心覚夢鈔』は、

　夫れ菩提を得んと欲せば、須く自心を知るべし。

という句ではじまっています。

菩提を得る——悟りを開き人生をあきらかに知る、それには、自心を知るべきであるというのです。自心はほんとうは知ることができないのに、自心を知るしかない、そういう苦悩の秘められた、しかも凛然とそれに立ち向かおうとする雄々しい気持の伝わってくる一節でありましょう。

ほんとうは対象化して知ることはできないのに、理解のために対象化するのを、唯識では〈仮説〉〈仮立〉〈名言施設〉などといい、そういう立場、つまり、対象化してものを思索する立場を〈道理世俗諦〉といいます。反省も思索もないのを〈世間世俗諦〉というのに対応したものです。

有相唯識は、道理世俗諦に立った人間の追究ということができるわけです。

私たちがものを考える時には、言葉を離れるわけにいきません。「考える」ということは、言葉によって考えているのです。何かを考えて、その考えに言葉をあてはめていくのではなく、考えることそれ自体が、言葉によっています。「考える」ということと言葉とは一体です。

しかも、言葉は、ものを表現するのにきわめて不自由なものです。言葉の表現の限界は非常に大きい。何かを表現しようとすると、私たちは大きな言葉の限界にぶつからざるをえません。夏山で飲んだ泉の水を、「おいしかった」と表現します。が、その同じ言葉で、パリのレストランで食べた料理も「おいしかった」というしかありません。「うれしい」とか「かなしい」とかいう言葉で、どれだけ私たちは自分の気持を表現することができ、またその言葉によって、どれだけ人の気持を理解することができるでありましょうか。

〈仮立〉〈仮説〉〈名言施設〉などというのは、そのような言語が本質的に内在させる矛盾的性質を表わしたものということができるでありましょう。

言葉でこころを追究するということには、このように対象化という矛盾や、限界にぶつかることがありますが、それをおそれていたのでは何もはじまりませんので、その矛盾や限界を承知のうえでこころの実態を探索することに立ち向かおうと思います。

第四章　こころの構造

羅怙羅尊者（松雲作，五百羅漢寺蔵）

〈心王〉〈心所〉の分析

唯識は、こころを主体的側面と作用的側面とに分析して捉えました。

主体的側面を〈心〉〈心法〉〈心王〉などと呼び、作用的側面を〈心所有法〉〈心所法〉〈心所〉〈心数〉などといいます。〈心所有法〉とは、主体的側面の〈心王〉に付随した働き、〈心王〉に所有されるものというところからそう呼ばれます。〈心所〉を唯識は五十一に分析しますが、その一つひとつについては紙数の都合で本書では触れられませんでした。

もちろん、こころに主体的側面とそれに従属する作用的側面とが判然と別々にあるわけではないのですが、前に述べた〈名言施設〉によって分析的に概念を定立し把握して理解する方法として、そういう二面を〈仮説〉するわけです。仮りに別のものとして分析し理解を深めていこうとするのです。

こころの構造――〈八識・三能変〉

こころの主体的側面が〈心王〉ですが、唯識はそれを、〈八識〉という捉えかたと、〈三能変〉という捉えかたとの二種類の捉えかたをします。

〈八識〉とは、人間のこころが表層から深層に向かって八つの重層的構造を持つとする捉えかたであり、〈三能変〉とは、こころが三層をなして、深層から表層に向かって能動的に対象に働きかける面をいいます。

〈八識・三能変〉という〈心王〉観を完成したのは世親であり、それを確定的にしたのは護法の『成唯識論』ですが、その〈心王〉観が主張されるようになるまでは、六識観であったり七識観であったりしました。『般若心経』の「眼耳鼻舌身意」というのは、代表的な心王六識観です。

しかし、六識では、人間をどうしても捉え尽くすことができないという反省はかなりはやくからありました。

人間がもし、〈六識〉でできているものならば、もっと簡単に自分を知ることができ、自分をもっと容易に思うように形成できたかもしれません。しかし、私たちは、自分を知ることが実に困難であるし、自分を思うように動かすこともたやすくできるものでないことをよく知っています。自分でも、どう理解すればよいのかわからぬ自分が、自分の中にひそんでいるのを感じることがありますし、自分が、思っているのとは別の方向に自分が動いていくのを自覚することもあります。「わが欲するところの善をなさず、わが欲せぬところの悪はこれをなす」というパウロの言葉は決して彼だけのものではありません。私たちは、自分で自分のこころを自由に動かすことができません。嫌いなものを好きになれといわれても、そうなれるものではありませんし、いかりをおさえろといわれても、表面をつくろうことはできても、おいそれといかりを捨てられません。〈六識〉の奥に、自分の思うようにばかりは動かぬもっと深い〈識〉があるのではないか、そういう反省は誰しもが持っていました。

すでに無着以前にも、窮生死蘊（ぐうしょうじうん）（化地部）、根本識（大衆部）、細意識（さいのいしき）（経量部）などと呼ばれる、意識よりさらに深いその基底のこころが探索されていました。唯識は、そういう探索の歴史のうえに登場するわけです。そして、深層のこころとしての〈阿頼耶識（あらやしき）〉という深淵のような自己にゆきあたり、それを論理化し組織化していきました。前の窮生死蘊、根本識、細意識などとねらいは同じであったわけですが、より鋭くより深くより厳密に組織的に把捉したのが〈阿頼耶識〉説であったといえます。

しかし、無着のあたりまでは、〈八識〉という組織化はあいまいで、八識とも、七識とも考えられるような段階でした。『摂大乗論』がそうです。世親になって、はじめて八識が組織化されるわけです。

こころを三重構造として捉え、〈三能変〉と呼び、八識の構造と重ねあわせたのは世親であり、唯識の〈心王〉観が確立したのはその時であります。

八識		三能変
	第一眼識 第二耳識 第三鼻識 第四舌識 第五身識 第六意識	第三能変
	第七末那識	＝第二能変
	第八阿頼耶識	＝初　能　変

〈八識・三能変〉の二つの方向

前述のように、〈八識・三能変〉は、二つの方向を持っています。一つは、表層より深層へという方向であり、もう一つは、深層より表層へという方向です。前者が〈八識〉説、後者が〈三能変〉説です。

私たちがこころを探索する場合、まずたどる道筋は第一の方向でありましょう。表の左側第一眼識より第六意識へ、第六意識より第七末那識へ、それから第八阿頼耶識へと掘り下げていく方向です。

しかし、表層より深層へという方向で、自己の根底にまで到達した先人たちの捉えたこころの実態は、決して、単純な一方向の性格のものではありませんでした。

表層より深層の自己へ、もう一つ奥の自己へという方向によってのみしか、深淵の自己に触れる方法はないのですが、そこで出会った自己のこころは複雑な構造のものであるのを認めざるをえなかったのです。

それは、こころは、浅より深へという方向と、深より浅へという逆の方向とが、まったく分かち難くからみ合いもつれ合い交錯融合しているということの発見でした。

こころは、外部の情報を受け入れて判断・推理をしますが、その受け入れるという働きは、ほんとに純粋に受身なのか、受身は純粋に受動だけなのか。

決してそうではないということです。受け入れは一見消極的な働きのようですが、決してその通り消極的な働きのみではなく、かならず外部への積極的な能動性と一体となっている、消極的な受け入れは、かならず同時に積極的な働きかけを含んでいるということでありました。

花を見るという行動は、自分の外に花が在り、その花から送られてくる色や形やにおいを情報として受けとり受け入れるということによって成立しているとふつう考えています。しかし、よく考えてみると、花を見るという小さな行動の中にいろいろな花についての思い出や連想や感動など、多くのこころの動きが渾然一体となって、花を見ているのに気付きます。花への関心や感動がなかったら、外から運ばれてくるどんな情報も受け入れられることなく、花を全然見ることがないかもしれません。花を見ようとする気持や関心が内に動かぬ限り花は見えない。受身の中に内在された能動の一面、そういう働きを考えざるをえません。それを〈能変〉という言葉で唯識は捉えたのでした。
受動と能動とが一体である、情報の入口とおのれのこころの出口とが一体である。――唯識は、そういうこころの微妙な動きを捉えたのでした。

こころとは、そのような微妙な動きを本性とするものでありますが、だからといって、それをそのまま渾然一体のままに見ていたのでは、こころの内蔵する諸問題をあきらかにすることができませんので、私たちは、表層より深層へという内省の方向にまず添いながら、古人が、どのようにこころを探究し、そこにどのような問題を発見したかを考えていこうと思います。

そして、その後、深層より表層へというもう一つの方向に眼を向けることにしたいと思います。ほんとうは、切りはなせないこころの二面ですが、方法として二つの道を分けて考えていきたいと思います。

第五章　こころの深さを求めて

大渦（鳴門海峡）

1 〈感覚＝前五識〉と〈意識〉

先人たちが発見したこころは、まず〈前五識〉と〈意識〉の二つでありました。

〈前五識〉は、眼・耳・鼻・舌・身識で、感覚作用、五官です。

〈意識〉は、知覚・知性・感情・意志・想像力などで、いわゆる、私たちがふつう常識的に〈こころ〉とか、〈精神〉〈意識〉と呼んでいる分野です。〈意識〉という単語自体、いまは現代語で生きて使われており、もともと仏教語であることなど意識されませんが、もとは、まさに仏教の重要な専門用語であります。こころの分析の第六番目のこころとして、動かぬ位置を与えられている言葉です。

私たちが本を見る、花を見る、音楽を聞く、花の香りをかぐ、そういう日常の経験を反省してみると、見る、聞く、かぐ、などの働きはそれだけで完結しているのではなく、見たり聞いたりしたものを、それがなんであるかを判断したり、それについていろいろ考えたり、それをきっかけにして何かを連想したりするという働きが、かならずいっしょにあるのを知ることができます。見たり聞いたりという働きは、考えたり判断するというもう一つの働きと不可分だといわざるをえません。そこには、見たり聞いたりする働きと、別の働きとが分析されるわけです。

また、感覚的な働きとはまったく別に、空想にふけったり、目の前にあるものとは、無関係のことを考えていたりすることができますから、少し考えてみると、〈前五識〉と〈意識〉という二つのここころの働きは、容易に分けて捉えることができます。

私たちの日常のこころの動きを、ごく常識的に考えてみると、この二つのこころで大体説明がつきます。

ですから、唯識では、〈三能変〉という大分類の場合、この〈前五識〉と〈意識〉とを一つの類としてまとめ、一括して〈第三能変〉と呼んだのでした。

まず〈前五識〉をどのように分析し、何をそこから思索したのかからみることにしましょう。

2　〈前五識〉相互のちがい

〈前五識〉は感覚作用です。外界の情報を受け入れる最先端にあるもので、私たちが知っていることは、すべて、〈前五識〉を通して内に入れたものです。〈前五識〉を通さないで、外部の情報を手に入れる方法はどこにもありません。眼や耳や手の感覚を通して、外界を知り、知識をふやしていくのです。

その意味で私たちのこころの最先端にあるということができ、〈前〉という字がつけられるのでありましょう。そして、情報を受け入れるという受動性の強いものであることも歴然としています。

さて、では〈前五識〉は、どのようなこころとして捉えられているのでしょうか。

〈前五識〉とは、①眼識《げんしき》（視覚）、②耳識《にしき》（聴覚）、③鼻識《びしき》（嗅覚）、④舌識《ぜっしき》（味覚）、⑤身識《しんしき》（触覚）です。

いまでは、「五官」と呼ばれる感覚機能です。
まず、この〈五識〉は、それぞれ役割がちがいますので、そのちがいを、(1)その〈識〉の働く場のちがいと、(2)その対象のちがいとの二点で、五つに区別していきます。

〈前五識〉の働く場

働く場——それを〈所依〉というのですが、眼識の働く場、耳識の働く場のちがいという点から、そのこころの特徴を見ようとします。つまり、〈所依〉のちがいによって、次のように五つに区別されます。

眼識——眼根・意識・末那識・阿頼耶識
耳識——耳根・〃・〃・〃
鼻識——鼻根・〃・〃・〃
舌識——舌根・〃・〃・〃
身識——身根・〃・〃・〃

〈根〉とは、「増上の義」「出生の義」といわれ、強い力を持つもの、その働きを生み出すもの、その働きの場などという意味で、たとえば、眼識であれば、眼識の働きを持つもの、眼識を生み出し、その働きの場となるもの、つまり眼球や視神経などでありましょう。
さて、〈眼根〉は眼球や視覚神経、〈耳根〉は耳の器官・聴覚神経、〈鼻根〉は鼻の器官と嗅覚神経、

〈舌根〉は口や舌の諸器官と味覚神経、〈身根〉は皮膚と触覚神経です。

それぞれの感覚機能は、それぞれの感覚器官に支えられて、そこを場として働くというわけです。〈根〉のほうからいえば、感覚機能を支える強い力を持ったものということになります。

その五つは、それぞれ別々の機能であり器官であって、混乱することはありません。眼識が、鼻根によって働くということもありませんし、身根が視覚の場となるということもない。

その意味で、五識は、それぞれはっきりと〈所依〉を異にするということができるわけです。視覚は眼の器官、聴覚は耳の器官、嗅覚は鼻の器官、味覚は舌の器官、触覚は皮膚器官を〈所依〉とするのです。

これは、五識相互に異なった〈所依〉ですが、五識に共通の〈所依〉もあります。つまり、共通の場としているのは、〈意識〉〈末那識〉〈阿頼耶識〉です。前の〈五根〉が身体的器官であるのに対して、この三つは心的分野ということができましょうか。

〈意識〉は、知性・感情・意志などの分野ですから、それが〈所依〉であるということは、そうしたこころの働きが、見る・聞くなどの感覚作用を支えていることを意味しますし、さらにその〈意識〉は底に〈末那識〉という自我中心的な思惟に支えられており、それはまたその奥に深淵のような自己——〈阿頼耶識〉があって、それに支えられているということになります。

このことは、私たちの見る・聞くなどの感覚作用も、その人の知性や教養や性格など、要するにその人が生きているという事実のうえに働くことであり、もっとも表層の単純と考えられる働きであっても実は深くその人全体にかかわっていることを指摘していることです。考えてみればあたりまえのことでしょう。「見る」という抽象的な働きがどこか宙に浮かんで単独に働くなどということがあるはずはなく、「見る」とは、人格を持った一人の誰かが何かを見ることです。一人の存在がものを見るのです。

〈根〉は感覚の働く諸器官ですから、身体部分であり、その他は心的部分といえますから、つまり、感覚作用は身体とこころをその働く場としているという把握がなされているわけです。この把握は、受動的な感覚作用の中に、その人の種々の要素が混じりあって働いていることを暗に語っていることにほかなりません。

しかし、感覚が身心の二面に支えられているということは、反面では同時にそれが一つの限界を背負うものであることを示唆していることにもなります。唯識は、認識の限界をつきつけてくる仏教だと最初に述べましたが、感覚が身心を〈所依〉としていることは、当然ながら、身心に制約された認識という限界を示すものです。自分の身心を超えた認識は不可能だといっていることでもあります。

知人に耳の不自由な人がいました。どういう病気だったのか詳しくは聞いていませんが、学生のころ手術をして、よく聞こえるようになりました。その時彼が驚いたのは、秋の夜の虫の音でした。それまでも全然聞こえていなかったわけではないそうですが、こんなに、地から湧くように多くの虫がいっせいに鳴いているのを想像することはできなかったといっていました。〈耳根〉が〈耳識〉を規定し、その対象を限定しているということです。

味覚についてみても、熱いもので舌をやけどすると、もうしばらくは味がわからなくなります。料理の味が変わったのではなく、こっちの器官の条件が味を変えたのです。

しかも〈所依〉はそれだけではなく、〈意識〉〈末那識〉〈阿頼耶識〉もそうですから、その料理についての知識や、そもそもふだんから持っている食物についての興味や関心というようなさまざまな心的条件もその料理の味を左右します。知らないで食べている時には、とくになんとも思わなかった御馳走が、由緒やいわれや値段を聞かされると、急においしく感じるようになるというような経験もあるのではないでしょうか。

こっちのこころの受け入れ体制によって、変わらぬはずの対象が変わってしまう。自分の持つ受け入れ体制によって、私たちの認識は変わるといわねばならぬようです。鏡が、なんでもいつでも同じ状態で、前のものを映すという具合には、人間の認識はいかぬのです。

とにかく、〈所依〉がちがうということによって、〈五識〉相互のちがいが指摘されているわけです。

〈前五識〉の対象

五識相互のもう一つはっきりしたちがいは、対象が、それぞれちがうということです。眼の捉える対象と、耳の捉える対象とは、はっきり別のものであって混乱することはありません。

対象を〈所縁（しょえん）〉といいますので、「五識は相互に〈所縁〉を異にする」といえます。

眼識――色境
耳識――声境
鼻識――香境
舌識――味境
身識――触境

眼識つまり視覚の対象は〈色境〉、耳識＝聴覚の対象は〈声境〉、鼻識＝嗅覚の対象は〈香境〉、舌識＝味覚の対象は〈味境〉、身識＝触覚の対象は〈触境〉となります。

眼識は何を見るのか。それが〈色境〉です。〈色境〉は具体的には色彩です。視覚は色彩のみを認識すると考えるのです。色彩は、さらに四つに分析されて〈四顕色〉といわれます。〈四顕色〉は、青・黄・赤・白の四色で、青・黄・赤の三原色と白です。眼の対象となるこの世の複雑な色彩の世界を、四原色に帰納してしまった分析力は立派というほかはありません。

しかし、眼は、形も見るのではないか、色彩と同時に、私たちは、四角とか円、平面・立体などの形体も眼で見ているのではないかとも考えられます。

仏教にもたしかにそういう見かたもありました。世親の初期の著作である『倶舎論』では、色境を、〈顕色〉（＝色彩）と〈形色〉（＝形体）とに分けていますし、唯識の根本論典とされる『瑜伽論』では、〈顕色〉〈形色〉に加えて、人間の行・住・座・臥などの動きを〈表色〉と呼んで、色境の一つと考えているところもあります。

しかし、唯識では〈四顕色〉に限ります。形体とか、動きなどは、たしかに眼も見ますが、別に、さわる——つまり〈身識〉によって認識することもできます。ですから、純粋に眼の機能のみに帰しうるのは、色彩だけだと考えるのです。

たとえば、本を読むという場合の〈眼識〉が、識別し認識しているのは、白い紙と、その上に印刷された黒い直線や曲線のみだということをいっているわけです。本の重さや表紙の感触、その読みかた、意味の判断は、〈眼識〉には不可能だということです。重さや感触を知るのは〈身識〉、その意味を知るのは、〈眼識〉ではなく、その背後に働く〈意識〉だといっているわけです。どんなによい視力を持っていてもそれだけでは深い認識は成立しない、深い認識の成立のためには、共働する〈意識〉の深さが不可欠だといっているのでありましょう。

同じ本を読んでも、一つの画面を見ても、見る人ごとに、それぞれちがった感想や感動を持つものですが、それは、〈眼識〉のちがいであるよりも、〈意識〉のちがいであることのほうがはるかに大きいのです。

このように、〈眼識〉は、〈所依〉の面でいえば〈眼根〉を所依とし、〈所縁〉の面でいえば〈色境〉を所縁として働いているということになります。眼の器官を場として色彩を見ている、それが〈眼識〉であります。

その他の〈識〉と性格のちがうところです。

〈耳識〉は、〈所依〉〈所縁〉を異にすることによってその特徴があります。

〈所依〉は耳の器官で、もちろん、そこにも可聴範囲という認識の限界は厳然としてあります。私たちの耳は構造上二万サイクル以上の音は聞こえず、低音のほうも、低いサイクルは、もう音としては聞こえなくなるといわれます。音としては聞こえぬ低音が継続して発せられると、聞いているほうは、音を自覚しないにもかかわらず、頭痛がしはじめたり、吐き気を催したりする——いわゆる低周波公害などというのは、人間の認識の限界をまざまざとつきつけてくる象徴的な現象でありましょう。

- 有執受
  - 有情名
    - 可意声
    - 不可意声
  - 非有情名
    - 可意声
    - 不可意声
- 無執受
  - 有情名
    - 可意声
    - 不可意声
  - 非有情名
    - 可意声
    - 不可意声

耳識の〈所縁〉は〈声境〉ですが、〈声境〉は他識の〈所縁〉とちがって右上の表のように大変複雑に分析されています。

これをいちいちみる必要もないようですが、意外とこんな所にも、面白い人間理解を発見できるものですので、そんなつもりでみていきましょう。

〈有執受(うしゅうじゅ)〉は、生命あるもの・生物、〈無執受(むしゅうじゅ)〉は、生命のないもの。ですから、まず耳の対象を、「生物の発するもの」と、「そうでないもの」とに分類するわけです。

第二段の〈有情名(うじょうみょう)〉は、意味のある言語、〈非有情名(ひうじょうみょう)〉は、言語でない音声です。ですから、〈有執受〉の〈有情名〉といえば、生物の発する意味のある言葉ですから、原則的には人間の言語ということになります。広く考えれば、類人猿やイルカも情報伝達の音声を何十種類か持っているといわれますので、それらも〈有執受〉〈有情名〉といえるかもしれません。

〈有執受〉〈非有情名〉といえば、生物の発する音声で言葉以外のものですから、ぶんなぐる音、拍手などが例にあげられます。

〈無執受〉〈有情名〉は、生物でないものの発する言葉です。これがちょっとわかりにくいのですが、仏典の中では化人の言葉といわれています。化人とは、仏・菩薩が衆生済度のために化現された人間ですので、〈無執受〉〈有情名〉は、諸仏・諸菩薩の衆生済度の説法や慰安や叱咤の声でありましょう。観音菩薩や地蔵菩薩は、さまざまな衆生の身を変現して迷える衆生を化導されるといわれる、それが衆生にとって〈無執受〉〈有情名〉の〈声境〉となるのでありましょう。これは信仰のうえから考えられたものですが、実に面白い音声の分類のように思います。それは、現代はこの音声が世の中に充満しているからです。テレビ・ラジオ・レコード・テープなど、みなこの分類の中に含まれるからです。考えてみると、音声伝達のそういう方法は、みな〈無執受〉です。生物ではありません。ところが、それがちゃんと人間の言語を明確に伝えているのです。信仰から出た音声の分類が、現代を予言しているようで実に面白いと思うのです。

〈無執受〉〈非有情名〉は、ものともの と触れあう言葉とならぬ音です。丘の上の松籟も竹林を払う雨声も、渓川の音、波の音も、大自然の発する音はすべてこの中に入ります。

そして、この音の分類で、非常に興味深いのは、一番下が〈可意声〉〈不可意声〉という分類になっていることです。〈可意〉は自分の気持に添うことですから、音の場合は「快い音」。〈不可意〉は、「不快な音」となります。表にすると〈可意〉〈不可意〉という分類が一番下になっておりますが、実際私たちが直接聞く音というのは、具体的には、この一番下の音声なわけです。具体的には「快い人の言葉」であったり、「不快なものの音」であったりするわけです。表にするから一番下になるのであって、私たちが耳で聞くという現実の働きからすると、むしろ、一番下の〈可意〉〈不可意〉が直接的だということになります。

仏陀の説法は、〈可意声〉〈有情名〉〈有執受〉。ラジオで聞いた名講演は〈可意声〉〈有情名〉までは同じでも、最後のところは〈無執受〉になります。

私たちが音声を聞く時は、まず〈快〉〈不快〉の音声を聞くものです。

この〈可意〉〈不可意〉という分類が、音声〈声境〉にのみ出てくるのはなかなか興味があります。音声が、他の感覚よりもはるかに強く感情に訴える性質の強いことを示しているように思われるからです。誰でしたか、長い恋文をもらうよりも、一言「好きだよ」といわれるほうが胸にひびくものだ、と話しているのをテレビで聞いたことがあります。音声は、他の感覚に比較して、人の感情に深く浸透するもの、こころにしみるものなのでしょうか。映画などでも、音声・バックミュージックが、どれだけ大きな効果をあげているでしょうか。「音がうるさい」といって、人を殺したというような事件もありましたが、他の感覚でそういう事件にまでひろがることはあまりないようです。

そういう快・不快が直接的に反応する性質が音声にはとくに強いように思われます。

音についての種々の経験が、こんなに詳しい分析を先人たちにさせたのでありましょう。

〈香境〉が鼻識の〈所縁〉です。

好香・悪香・等香・不等香の四つに分類します。好・悪は、よい香りとそうでないもの、等香・不等香は、自分を資養するものとそうでないものという意味で、分類の基準をやや異にするようです。好い香りでも身を滅ぼすものもあり、逆もまたありえます。麻薬のにおいに魅惑されるというのも、におい自体は快いのでありましょう。しかし、気のついた時にはそのにおいのために廃人になりはてていることもある、そういうのをいうのでありましょうか。

味覚〈舌識〉の〈所縁〉は〈味境〉です。これを、苦（にがみ）、酢（すっぱみ）、鹹（しおからさ）、辛（からみ）、甘（あまみ）、淡（さっぱりとした味わい）の六種に分けます。味の一種として淡味というのが数えられているところなど、まさになかなか味のある分類です。

触覚〈身識〉の〈所縁〉は〈触境〉です。皮膚でさわって知る対象です。熱い、冷たい、すべすべしている、ざらざらしているなどで、実際にさわって知る対象です。

以上、大急ぎで、〈所依〉〈所縁〉の二面で、〈前五識〉が、それぞれ別々の性質を持っていることをみました。

これは、〈五識〉がそれぞれちがう話でしたが、もう一つ、〈五識〉を二群に分けてそのちがいを分

三界の組織

- 三界
  - 無色界
    - 非想非非想処
    - 無所有処
    - 識無辺処
    - 空無辺処
    - ――定多慧少の禅定の世界
  - 色界
    - 捨念清浄地（四禅）
    - 離喜妙楽地（三禅）
    - 定生喜楽地（二禅）
    - ――定慧均等の禅定の世界
    - 離生喜楽地（初禅）――眼・耳・身識のみ働く
  - 欲界
    - 天上
    - 人間
    - 修羅
    - 畜生
    - 餓鬼
    - 地獄
    - 五欲の世界――前五識全部が働く

析します。

二群とは、(A)眼識・耳識・身識の群、(B)鼻識・舌識の群です。

この二群はどうちがうのかといいますと、A群の三識は、〈欲界〉と〈初禅〉に働き、B群の二識は、〈欲界〉のみに働くというものです。

〈欲界〉〈初禅〉というのは、上の表のような仏教の衆生論の中に出てくるものです。衆生――多くの生命あるものを、大きくは三つの世界に、詳しくは、十四に分類したものです。

ふつう、〈欲界〉の六種類を一つにまとめ、〈色界〉の四と〈無色界〉の四と合わせて、〈三界九地〉といいますが、要するに、生命あるものの存在のありようを仏教の角度から捉えたものです。〈欲界〉の〈天上〉より上は、天人の世界で、内的には、欲の少ない清浄な境地が、上に行くほどきれいになっていきます。

その場合、〈欲界〉は、いろいろな欲望のためにかき乱されひきずりまわされる世界ですので、〈前五識〉も当然働きつづけます。〈欲界〉の〈欲〉とは、五欲のことだというのですが、五欲とは、〈前五識〉が、それぞれ対象に対して抱く欲望です。眼は色彩に対して欲望を抱き、耳は美しい音声にこころを奪われる。鼻はよい香りに、舌は美味に、皮膚は快き感触を求める。そういうように対象に欲望を抱き、ついにはおのれの正念を失う。それが〈欲界〉であり、〈欲界〉には、〈前五識〉が働きつづけるというわけです。

ところが、〈初禅〉の段階になると、A群の三識、つまり、〈眼識〉〈耳識〉〈身識〉の三識のみになり、〈二禅〉以上には〈前五識〉は働かなくなるというのです。B群の二識は〈欲界〉のみで〈初禅〉でも働かないというわけです。表をみかえして頂くとわかるように、〈色界〉〈無色界〉は、〈禅定〉の世界でこころが統一され澄み切っていく世界です。B群の〈鼻識〉〈舌識〉、つまり、香りや味には、もうこころは動かされない。逆にいえば、こころが清澄になっていけば、まず、香りや味などのために正念を失うようなことはなくなるということでありましょう。

その段階をさらに、上昇して〈二禅〉以上になると、〈五識〉〈五欲〉にこころを乱されることはなくなるということです。このように、〈前五識〉が、A群・B群に分類されている、これが、〈前五識〉の一つの分類であります。

以上、〈前五識〉は相互に、〈所依〉〈所縁〉と働く場所を異にする点をみたわけですが、当然、〈五識〉には、共通の面もあるわけです。

3 〈前五識〉の共通性

対象を認識する二方法――〈現量〉と〈比量〉

共通点の第一は、なんといっても、〈前五識〉は、そろって、〈現量(げんりょう)〉だということでしょう。

〈現量〉とは、直観的に対象を知ることです。

いったい、私たちが対象を認識する方法はいくつあるのか。唯識では、〈現量〉と〈比量(ひ)〉の二つだと考えます。

〈現量〉は、直観的に対象を認識することです。「紅い花を見る」という眼の認識の一番根底にあるのは、紅い色彩の一つの形が捉えられることでしょう。それが、バラだとか、ダリアだなどと判断される以前にパッと直観的に捉える、その段階が〈現量〉です。〈前五識〉は、当然、この方法でものを認識するわけです。

芸術の場合など、とくに直接的な感受性が大切なのではないのか。へたな知識を持って接すると、かえってそれにさまたげられて、対象そのものを率直に捉える認識がおろそかにされることもあるのではありますまいか。

自分の眼で見、耳で聞き、舌で味わうこと、そこに認識の基礎を見たのが〈現量〉であります。

それに対して、〈比量〉は、推理し思索してものを知る方法で、私たちはこの方法によっても実に多くのことを認識しています。

私が、中学ではじめて「幾何」を教わった時、先生が、黒板に、○○○・・というように大きい円から、だんだん小さな円を描かれ、「どれが一番〈点〉に近いか」と聞かれたのを思い出します。〈点〉とは、位置のみあって、大きさのないもの、それを理解させるための方法でした。黒板に書かれた円を見ながら、私たちは、大きさのない、抽象的な〈点〉を推理していったわけです。〈点〉というものを〈比量〉によって、認識したといえます。したがって、〈前五識〉は、この認識方法はなしえないといえます。〈比量〉は〈第六意識〉の領域になります。

仏陀の悟りの内容がなんなのか、これは重大な問題ですが、〈十二縁起〉の教えも〈比量〉によるものといえましょう。

〈十二縁起〉とは、①無明、②行、③識、④名色、⑤六処、⑥触、⑦受、⑧愛、⑨取、⑩有、⑪生、⑫老死の十二の項目ですが、いまは目的にそれますので、その一つひとつの項目を説明することはさけますが、「無明によりて行がある。行によりて識がある。……生によりて老死がある」というように思索していき——これを十二縁起の順観といいます——、今度は逆に、「無明の滅によりて行が滅し、行の滅によりて識が滅し……生の滅によりて老死が滅す」というように思索された——これを十二縁起の逆観といいます——、そして生死の苦悩を究められた教えです。そこにあるのは、いうまでもなく、推理・思索による人生の真相の認識です。無明から老死への十二の段階について一つひとつ論理的に考えをすすめていった方法は、〈比量〉以外のなにものでもありません。

〈比量〉によっても、私たちは、ものの真の認識に達することがあるわけです。

厳密には、これにもう一つ〈非量〉を加えて三量と呼びます。〈非量〉は、誤謬の〈現量〉〈比量〉のことですから、基本的には〈現量〉と〈比量〉の二量で認識は成立すると考えてよいわけです。

そして話をもとにかえすと、〈前五識〉＝五官の共通点の一つは〈現量〉だということになります。〈前五識〉には、ものを考えたり推理したりする働きはないということです。

感覚にその人柄がすべて現われる

もう一つの共通点は、〈前五識〉がそろって、〈意識〉〈末那識〉〈阿頼耶識〉という心的部分を〈所依〉としていることです（九〇ページ）。

〈所依〉のうち、〈根〉は五識それぞれ別々でした。眼識は眼根、耳識は耳根というようにちがっておりました。しかし、〈所依〉のうち、〈意識〉〈末那識〉〈阿頼耶識〉の三つは五識が全部共通に〈所依〉としています。

それがどういう意味を持つかについては〈所依〉のところで述べましたが、さらに補足すると、感覚作用を統一する意識や人格を感覚の依って立つ所として捉えているということです。

感覚が受け入れたものを統一するのは〈意識〉でありましょうが、その〈意識〉を支えているのは〈阿頼耶識〉＝人格でありましょう。主体的自己というようにいってよいかもしれません。

感覚的作用は、主体的自己に依って統一され支えられているのです。

そして、ここにも、受動的な感覚が、決して受動的とばかりはいえぬ要素を持つことを見ることができます。空にして主体たる自己、それは、一人ひとり、個々別々の存在としての自己ですが、その一人ひとりの性格や人柄が、〈前五識〉を支えていることになります。〈前五識〉に性格や人柄が反映するのです。

その人の存在――人柄を離れた感覚の働きはないわけです。

ただし、主体的自己といっても、仏教の場合、空なる自己であって、決して実体的なものでないことは前に見た通りです。自己とは、〈無常〉にして〈無我〉なる自己です。しかし、それは、何もないという虚無主義でも、自己喪失でもありません。〈無我〉なる自己、〈無常〉なる自己という形で自己が存在している。無なる自己が有として存在している。実体我ではないが、自分は存在している。感覚を通して外のものを知り、それに対して判断を下し、推理考察し、行動を起こす行為者としての主体的自己は否定できない。判断し決断し行為する自分、いうならば主体的自己という自己は厳然として存在しているわけです。

空・無我なる自己であることにまちがいありませんが、それを〈有相唯識〉は、有的に捉え有的に表現するのです。

空にして主体たる自己。

それを〈所依〉という角度から〈意識〉〈末那識〉〈阿頼耶識〉という表現で捉えているといえましょう。

一枚の絵を見ても、一つの音楽を聞いても、その視覚や聴覚には、その人のすべてが、現われているといわざるをえません。

実はこれが、深層より表層へという第二の方向にかかわる面ですので、ここではあまり深く立ちいらぬことにしましょう。

このように〈前五識〉は、相互に異なった面と共通の面があるわけですが、とにかく五識はそれぞれ別々の働きをするということは、はっきりしています。

ところが、「如来の五根は、諸根が互用する」といわれます。これは『成唯識論』にも出て来る教説ですが、如来は、眼で音を聞いたり、耳で見たりできるというのです。それを諸根互用といいます。これは実に奇妙な話で、仏が超能力者のように思われかねぬ話です。

仏陀は超能力者であったという見かたもないわけではありませんが、「如来に秘密なし」という見かたを大切にしたい私は、そうは考えぬことにしています。仏陀がもし超能力者であるとしたら、平凡な人間には、無関係の存在になってしまうでありましょう。

私は諸根互用というのは、鍛えられた人間の人格力だと思っています。

強い近視で、ふだんは眼鏡をはずすと身動きもできぬような能楽師が、ひとたび舞台に立つと舞台いっぱい思う存分縦横無尽に舞うという話を聞いたことがあります。眼では舞台は見えなくても、耳で舞台の隅々まで見透しているといえるのではないでしょうか。熟練した板前さんは、色と艶を見ただけで料理の味がわかる、名医は、触診で病気がわかる、演奏家は楽譜を見るだけで音が聞こえてくる、こういうのがそのまま仏の諸根互用に比肩できるというわけにはいかぬでありましょうが、練磨された人間がおのずから身につける力を考えてみると、偉大な人間の持つ諸根互用とでもいうべきすぐれた認識力を想像することも決して無理ではないといえましょう。

仏陀は衆生の眼をご覧になっただけで、その訴える声をお聞きとりになったのでありましょう。観音菩薩は、詳しくは観世音菩薩というのですが、「世の音」を「観る」と書かれています。これもまた諸根互用の一つでありましょう。

深層の意識が表層に現われる

これで〈前五識〉の要点を終わろうと思いますが、こわいのは〈前五識〉は、一番表層のこころでもっとも単純と思われる機能である、それにもかかわらず、そこに、深い人格性がそのままもろに現われ出てくるということです。思いはかりや策略をめぐらすというような複雑な働きをしないだけに、どうも背後の意識活動や人格性がかえって露骨に現われるのではないかと思います。

久しぶりに会った友だちが、思わず抱き合ったり手をにぎり合う。懐しい嬉しい気持が身を触れ合うというもっとも原初的な感覚に表わされるのです。ところが、嫌いな人の膚が触れることはたえられません。若い女性など、悲鳴をあげて逃げていきます。その女性が恋人の手はしっかりにぎって離さぬのです。膚と膚と触れるという点では別段変わってはいないはずですから、ある時には逃げ、ある時にはにぎるというちがいは、皮膚そのものの感覚ではなく、そのうしろにある意識や人格がかかわっていると考えざるをえないわけです。しかもそれが露骨に率直に現われるのが〈前五識〉だといえましょう。

感覚は誤魔化せない、〈前五識〉は嘘をつけない。

人をみな同じように愛するということは、観念的にいくらでも口にできますけれども、嫌いな人の手を恋人の手と同じようにしっかりにぎることはできない。

感覚は誤魔化せぬということを思うたびに、いつも頭に浮かんでくるのは――したがって、別の所にも何回か書いたことがあるのですが、光明皇后の慈悲行であります。皇后は、仏教に深く帰依されたかたでありますが、病人を風呂に入れて看病していられる、病人の膿血を、口で吸い出して治療されたというあの話です。ただれた病人の皮膚と真紅の唇と、なんという強烈な印象でしょうか。なんという深い慈愛でありましょうか。ピンセットにガーゼをはさんで治療するのではない。誤魔化しえぬ感覚に愛が現われているからこそ、その愛が真実のものであると断言できるのです。

人を愛しようといいながら、隣りの座席に汚れた服を着た人が坐ると、顔をしかめて席を変える、そんな愛はたわごとにすぎぬのです。

これは、のちの唯識の修行のところでもう一度触れることになりますが、修行によって人が変わっていく時、この〈前五識〉は、完全に修行が完成しきれるまで変わらないといわれます。ものを考えたり判断したりする〈意識〉は、それよりも比較的早い段階で変わりはじめるとされるのですが、〈前五識〉と〈阿頼耶識〉とは最後の最後まで完全に清浄にはならぬというのです。〈前五識〉が清浄になったのを〈成所作智(じょうしょさち)〉、〈阿頼耶識〉がそうなったのを〈大円鏡智(だいえんきょうち)〉といいますが、「成所作智と大円鏡智とは唯修行の完成時にのみ働く」(大円・成作唯仏果起)といわれるのはこのことを指しているわけです。

そして、考えてみれば当然のことでありましょう。感覚は率直にストレートにその人の意識活動や人格の現われるところですから、その人格性を意味する〈阿頼耶識〉が、根本的に清浄にならぬ限り〈前五識〉も清浄にはならず、〈阿頼耶識〉が完全に変わる時、その時はじめて〈前五識〉も変わるといえるのです。深層の自己が変わることによって表層の自己も変わる、表層の自己が変わらぬ限り深層の自己も変わってはいない。頭の先きや口先きでの悟りなどを唯識は受けつけないのです。

4　知・情・意の働き――〈第六意識〉

〈意識〉の働き

〈前五識〉は、直観的認識をするのみでした。眼は色彩を見分けるだけ、耳は音声を受け入れるだけというのが基本的な性質でした。受け入れるという働きに同時に働きかけの要素が一体となって混じっていますので、明確に分けるわけにはいきませんが、基本的には〈前五識〉はそういう性質であったわけです。

しかし、それだけで深い認識が成立するわけはありません。

それがいったいなんであるのか、どういう意味なのか、そういう判断が下されることによって、はじめて、認識が成立し真の認識となります。

その働きが、〈意識〉であるわけです。

〈前五識〉の背後にあってそれを支えるこころですので、〈第六意識〉と呼ぶことがしばしばです。

〈前五識〉、つまり、感覚の働きを統一的に受け入れて明確にするという点では、知覚の働きもするわけですが、唯識の〈第六意識〉は、知性・感情・意志・想像力などをも総合的に含んだものです。

私たちが、日常こころと呼んでいるのが〈第六意識〉だと考えてよいように思います。

仏教の道理を聞きわけていく、〈十二縁起〉の教えを理解する、みな〈第六意識〉ですし、美しい仏像に感動するのも、さあこれから写経をしようと思い立つのも、経典の言葉から、二千五百年前の仏陀のお姿を想像するのもみな〈第六意識〉の働きであります。

〈第六意識〉は、〈前五識〉が花を見たり、音楽を聞く時には、いつも同時に働きます。知覚としての一面です。しかし、自分を反省したり、夢や空想を描くのも〈第六意識〉です。この場合には〈前五識〉とは無関係に、こころのうえに浮かぶ対象を、対象としているわけです。抽象的な思惟、幾何の〈点〉とか、〈十二縁起〉の教えとか、感覚とはかかわりなく、〈意識〉の中で作業が完了します。

〈前五識〉の対象が、〈眼識〉は〈色境〉、〈耳識〉は〈声境〉というように個々に限定されたものであったのに対して、この〈意識〉の対象は、考えうるすべてのものを対象とします。〈第六意識〉の対象として浮かんでこないものは、私たちは、知ることも、考えることもできません。

「無」といえば、「無」が、対象に入っているわけですし、「第六意識の対象にならないものも在る」といえば、その時には、すでに、〈意識〉の対象になっているわけですから、私たちが、知るすべてのものは、かならず〈第六意識〉の対象に浮かんでいるものであるわけです。

〈前五識〉の対象が、それぞれ限定されていたのに対して、〈第六意識〉は、あらゆることを対象としますので、〈広縁(こうえん)の意識〉などと呼ぶこともあります。

- 第六意識
  - 五倶意識
    - 五同縁意識
    - 不同縁意識
  - 不倶意識
    - 五後意識
    - 独頭意識
      - 定中意識
      - 独散意識
      - 夢中意識

〈前五識〉は、五つの異なった〈識〉であったのに対して、これは、一つの〈識〉ですが、その働きの状態から、上の表のように、分類します。

〈五倶の意識〉は、〈前五識〉と倶(とも)にいっしょに働く意識、〈不倶の意識〉は〈前五識〉とは関係なく独自に働く意識です。

感覚と共に働く意識——〈五倶意識〉

〈五倶(ごく)の意識〉は、さらに〈五同縁の意識〉と〈不同縁の意識〉に分けられます。

〈五同縁の意識〉は、完全に〈前五識〉といっしょに働く意識です。感覚で受け入れられたものに

三十三間堂の千体仏（蓮華王院本堂蔵）

対して、判断を下していく作用です。「これは花だ」という認識には、〈眼識〉の紅い色彩の受け入れがあり、それを「花」と判断する〈第六意識〉の共働があるわけで、そういう感覚と同じ対象に向けて働いているので〈五同縁の意識〉というわけです。本を読む時など、眼で黒い活字の印刷を識別しながら同時に、一字一字の意味を理解しているわけで、その理解しているのが〈五同縁の意識〉です。

それに対して、〈不同縁の意識〉というのは、〈前五識〉をきっかけとしながら別のことを考えているような場合です。別といっても、〈前五識〉とまったく無関係のことを考えているのではないのが〈不同縁〉です。三十三間堂の千体の仏様の中には、かならず両親の顔があるといいわれますが、それは、〈眼識〉で捉えた仏像のお顔と、脳裡にある両親の顔とが重なり合うのでしょう。いま眼前にある仏様のお顔と、眼前にあるわけでもない両親の顔と重ね合わせていく、それはおそらくはこの〈不同縁の意識〉でありましょう。

「一葉落ちて天下の秋を知る」といいます。眼に見えているのは、桐の一葉が落ちることです。ただそれだけです。しかし、その小さな一つの光景に、「秋」という大自然の推移を読みとるのは、〈不同縁の意識〉ではないでありましょうか。

　ほろほろと鳴く山鳥の声聞けば
　父かとぞ思ふ母かとぞ思ふ　（行基）

これなども、〈不同縁の意識〉でありましょう。耳に聞こえるのは山鳥の声です。そこに父母のイメージが重なっていくのです。連想といってよいでありましょう。

仏教では、〈観法〉〈観心〉などといって、ものの奥に真理を読みとる修行が大切にされますが、〈観〉として働く意識は、やはり、〈不同縁の意識〉でありましょう。眼で見ている存在の奥に、〈無常〉や〈無我〉を観取する、それが〈不同縁の意識〉であるとすると、〈不同縁の意識〉は、非常に重要な意識の一面といわざるをえません。

読みの深さ、観察の深さ、どこまでが〈五同縁〉で、どこからが〈不同縁〉なのかは明らかになしえないとしても、そういう意識の重要な一面を捉えたものです。

認識の彫りの深さのきめ手——それが、〈五倶の意識〉でありましょう。

蒙昧な意識に深遠な認識はないのです。

独走する意識——〈不倶意識〉

〈意識〉には、もう一つの面があります。〈前五識〉とは無関係に働く一面です。それが〈不倶(ふく)の意識〉です。〈不倶の意識〉は〈五後(ごご)の意識〉と〈独頭(どくず)の意識〉とに分けられます。

〈五後の意識〉は、〈前五識〉＝感覚で見たり聞いたりしたのちに、それについていろいろ考えたり連想したりする意識の一面です。

広目天（戒壇院蔵）

いい詩を読んで感動する、これは〈五倶の意識〉ですが、そのあと眼を本から離して、詩をかみしめながら思索する、あるいはすばらしい音楽に接したあと、口もきけないで黙って帰っていく時のあの感動、ああいうのが〈五後の意識〉でありましょうか。〈前五識〉と直接いっしょに働いてはいない、がしかし、〈前五識〉との関係で働いた意識の、残響のごとくにひびく感動の余韻とでもいうのでしょうか。

びるばくしや　まゆね　よせたる　まなざし　を
まなこ　に　み　つつ　あき　の　の　を　ゆく

これは、秋艸道人会津八一『鹿鳴集』の「戒壇院をいでて」と題する歌です。戒壇院の広目天を見ての後、まゆねをよせたその姿が、いつまでもこころにやきついている。まさに〈五後の意識〉の典型です。

〈第六意識〉には、もう一つ大きな重要な分野があります。それは、〈前五識〉との関係で働くのではなく、まったく独自に働く領域です。〈独頭の意識〉がそれです。

〈独頭の意識〉は、三つに分けられるのですが、第一は、〈定中の意識〉です。〈定中〉とは、禅定中のことですから、坐禅の時の意識です。坐禅中の意識の状態をよく無心の境地などといって、こころが停止状態になるようにいう人もありますが、意識が空らっぽの状態になるということは人間が生きている限りありえぬことで、意識はちゃんと働いています。頭の中には種々なことが、脈絡なく出没しています。ただ、それによってこころがたかぶったり硬直したりしない、自由に出現し自在に消滅していく、そこにはなんの停滞も拘泥もない、それがいうならば無心の境地ですが、それも〈定中の意識〉でありましょう。〈前五識〉とは関係なく働いているのです。

しかし、坐禅中には、もう一つ「魔境」と呼ばれる幻想のいり乱れる状態に陥ることもあります。『首楞厳経』というお経は、中国で作られたお経——それを偽経といいますが、五十の魔境を並べていることで有名です。坐禅中、眼の前が暗くなって、深い谷にひきずり込まれるような気持になったり、逆に光り輝くようなよろこびがこみあげてきたり、仏が見えたり、千仏が自分の周囲をめぐるように思われたりする、しかし、みな幻想にすぎず、一種の魔境だとするのです。

こういうのも〈定中の意識〉でありましょう。

〈定中〉は坐禅に限りません。意識の集中統一された清澄な状態ですから、念仏しかり、称題しかり、写経しかりです。

〈独頭の意識〉の第二は〈独散(どくさん)の意識〉です。これは、意識が、〈前五識〉とも坐禅ともかかわりなく独自に働く一面です。空想・幻想・夢想あるいは理想像を描くなどもこれでありましょう。幻想に眩惑されたり誇大妄想に陥るのも〈独散の意識〉です。夢を抱いてこころ豊かに人生を生きるのもまた〈独散の意識〉です。現実に拘束され埋没することを拒否し、雄志を抱いて凛々(りり)しく生きるのも〈独散の意識〉です。

何回読んでも私は、『華厳経』「入法界品(にゅうほっかいぼん)」の、善財童子が菩提心を発して修行に出発する所に、いつも感動するのですが、「菩提心」というのも、意識の中にあてはめれば〈独散の意識〉ではないかと思います。それにはむろん反論もありましょう。「菩提心」というのは、私たちの意識の問題ではない、それは如来の力がおのれに働くのだから、私たちの意識と考えることはできぬ、あるいは、菩提心は坐禅中の意識と同じに一つの目的に集中されているのだから、〈独散〉ではない、〈定中〉ではないのかという意見もありましょう。それを十分承知のうえで、人間の意識の構造の中にその位置を探すならば、やはり〈独散の意識〉になるであろうと思うのです。胸の中に仏果菩提を抱きつづけるのですから。

〈独頭の意識〉の最後は、〈夢中(むちゅう)の意識〉です。文字通り、夢の中の意識活動です。「夢」は、はたして〈第六意識〉なのかどうか。現代の精神分析学や深層心理学では、夢は深層の意識とか、意識下の領域の働きであって、知・情・意などのふつうの意識活動よりもいっそう底の深いこころの領域のものとするのでありましょうが、唯識では、夢は〈第六意識〉の範囲に求めているわけです。夢にもやはり、ストーリがあり、会話がありますから、そういう働きのある限りは、〈第六意識〉のものだと考えたのでありましょう。

〈第六意識〉には〈五位無心〉といわれる、意識の働かぬ五つの状態があげられます。五位とは、〈無想天〉〈無想定〉〈滅尽定〉〈極悶絶〉〈極睡眠〉で、その中に熟睡を意味する〈極睡眠〉があります。つまり、熟睡状態では〈第六意識〉は働かぬといっているわけで、夢は浅い眠りの時にみるものとし、みるならば、〈第六意識〉の働きとするわけです。ついでに、〈無想天〉は前にみました〈三界〉の〈色界〉、第四禅中の一つの天人の世界です。そこにいる天人は、長い間、意識活動が停止していると考えるのです。〈無想定〉はその境地に到達するために修行する禅定で、これも〈第六意識〉の働かぬ状態、〈滅尽定〉は〈無想定〉よりいっそう意識活動の深くとどまった状態、〈極悶絶〉は気絶の状態です。この五つの状態の時には、意識は働かぬとするわけです。

これは〈第六意識〉を支える〈末那識〉〈阿頼耶識〉と〈第六意識〉との決定的なちがいとなるものです。意識活動が持続的であるか、それとも断絶する時もあるのか、そのちがいが深層心の〈末那識〉〈阿頼耶識〉を別のものと考えさせたのでありました。その意味では、〈五位無心〉というのは、〈第六意識〉の大切な条件でありましょう。

ところで、〈第六意識〉は、知・情・意・想像力などの働きをすべて含むものでありますから、私たちの生活にとって実に重大な役割を占めるものであることはいうまでもありません。

認識を正確に深めていくのもこのこころですし、抽象的な思索を受け持つのもこれです。空・無我の教え、十二縁起の思想を理解するのもみなこのこころです。普遍的・客観的真理を追究する科学を育てたのも〈第六意識〉、芸術をうみだしたのも、人間に倫理的行為を守らせたのもこの意識です。無限に広がるこころ――〈第六意識〉の偉大さです。

物質の根元は何かを求めて10^{-8}センチメートルの原子とか10^{-13}センチメートルの原子核とかクォークなどへ到達した、そうかと思うと何億光年というような無窮の宇宙のはての状態を考えたり、月や土星までロケットを飛ばして、写真を送ってよこさせたりする偉業をなしとげたのも〈第六意識〉です。〈第六意識〉とはなんとすばらしい能力であろうかと驚嘆せざるをえません。

〈第六意識〉の働く場

だが、唯識は、そこで、そういう〈第六意識〉のすばらしい能力を認めながら、ちょっと待ちたまえ、〈第六意識〉は、ほんとうにそんなに偉大なのか、手ばなしで称賛していてよいのかと、問いかけてくるのです。

人間の認識の限界――

人間存在の実相――

そうした自覚を呼びかけてくるのです。

それが〈第六意識〉の〈所依〉の問題です。

〈第六意識〉の〈所依〉は、〈意根〉と〈阿頼耶識〉だといわれます。

〈意根〉は、〈前滅の意〉と〈末那識〉という二つの面が含まれています。〈前滅の意〉とは、現在の直前の瞬間の意識です。私たちのこころは、瞬間瞬間に生じては消え、消えては生じるという動態のものです。「刹那に生滅するもの」とするのです。たしかに私たちの意識は、非連続の一面を持っています。昨日の私と今日の私と、すっかり気分が変わっている、もっと極端な場合には、今の今までニコニコしていた人が、急に烈火のごとく怒ることもあります。別人のように変わることもよくあることです。もしこころがつながっているだけのものであったら、ああいう急激な人間の変化はないはずですから、こころが〈刹那生滅〉のものであるというのは、こころの真相をよく捉えたものといえましょう。

極悪人といわれた人が、仏のような人に生まれ変わる、逆に人格者といわれた人が、あの人が……と驚くほど堕落してしまう、そういう人間の廻心とか転向とか変身などというのはこころが非連続だからだということができましょう。

しかし、非連続で、瞬間瞬間にコロコロ変わってばかりいるとしたら、人格の統一性は保てぬことになり、人の信用などということも成立せぬことになりましょう。昨日約束したことを、今日履行してくれるという信頼がない限り、社会は存続しません。

こころは一面で、瞬間瞬間に切断されながら、しかも一面では、前の瞬間のこころが次の瞬間のこころを支え連続していくという面を持っていなければならないわけです。この連続の面が「前滅の意を〈所依〉とする」といわれるところです。この面がなかったら、思索が漸次深まっていく、年々、境地が高まっていく、修行がすすんでいくというような人格の連続性が理解できぬことになります。

ところで、この連続の一面は、自己の深まりを説明してくれますが、それとともに、それは一つの自己の拘束をも意味しています。前滅の意識が、現在の意識の〈所依〉であるということは、現在の意識の活動は、前の瞬間の意識によって制約限定されていることを意味するからです。発想の転換をなし難くしていることでもあるのです。自分で積みあげてきた自分のこころが、自分を向上させ深化させてもきているのですが、同時にこころの働きに一つの枠を作り、先入観や思い込みとなって、そこからの超越突破を非常に困難にしているところもあるのです。

自分の知識が、認識を拡大もし正確にもしていっているのは事実ですが、逆に自分の知識が先入観や思い込みとなって認識の範囲を限定しているのもまた否定できないことです。

その事実を知れ、おのれの認識の限界を知れ、「前滅の意を〈所依〉とする」というこの唯識の教説は、それを語っているのです。

〈前五識〉から〈第六意識〉へと省察を深めていって、時間的前後の関係を捉えたのがこの見かたでありましょう。

いまは、こころを深く掘りさげていく面を中心に見ているところでありながら、次の意識を限定するというやや能動的な面にまで話をすすめてしまいました。〈第六意識〉も受動と能動とをさだかに判別し難いのです。そのもっとも複雑な働きをするのはあるいは〈第六意識〉かもしれません。

〈意根〉のもう一つは〈末那識〉＝自我意識・自己中心性・利己性・我執のこころです。〈前五識〉のところでも見ましたように、意識の底に、潜在的な利己性を見出さざるをえなかったのです。

そして、〈所依〉のもう一つは、〈阿頼耶識〉であって、総体的な人格性が一番底にあって他の意識活動を支えているのを発見したものです。

この二識については、あとで詳しくみることになります。

以上が、少し長くなりすぎましたが、表層の〈前五識〉と〈第六意識〉の一面です。一面というのは、受動性の面です。受動と能動とは一体不離ですから、その都度その両面が混線してしまったきらいがあります。とくに〈所依〉の説明ではどうしてもその傾向が強くなりました。しかし、気持は、能動性よりも受動性に重点をおいたつもりでした。

そして、この〈前五識〉と〈第六意識〉とが、私たちが日常明瞭に自覚しているこころの活動でありましょう。仏教の歴史から見ても、唯識仏教が構築されるまでは、この一群のこころで人間を理解し把握していたのでした。

しかし、唯識は、それだけでは、どうしても人間を捉え尽くせぬと考えたのです。〈第六意識〉の底に、さらに微細深遠な自己を見出さざるをえなかったのです。それが〈末那識〉と〈阿頼耶識〉でありました。

5 深く潜在する我執――〈第七末那識〉

〈第六意識〉のもう一つ奥に発見したのは、潜在する利己性・執我性のこころでした。悪のこころの時はもちろんのこと、〈第六意識〉では善意のつもりでいる時にも、その底に深く潜む自己中心性を先人たちは発見せざるをえませんでした。

それを〈末那識〉と呼びました。

「末那」とは、インドの「マナス」という言葉を音写したもので、その〈末那〉という音写語に、〈識〉という漢字を結合させたものが〈末那識〉です。マナスとは「思う」「思いめぐらす」という意味ですので、〈末那識〉とは、〈思量識〉といいます。

「思う」「思いめぐらす」というのは、いうまでもなく、「おのれのことを思う」「自分の都合を思いめぐらす」ことです。

あまり人前で口にすべきことではないのですが、ひと皮むけば、自分がかわいいという意識が潜在している、そういうあまり立派とはいえぬ自分をこころの底に自覚せざるをえません。

それが〈末那識〉です。ことの性質上、このこころは、受動性よりも能動性のほうがはるかに強いこころですので、のちの章で詳しくみることにしたいと思います。

ここでは、先人たちが、真剣な生活の中で、内へ内へと沈潜していって、どうしても〈第六意識〉では解決できぬ深層の我執・自我意識にゆきあたったということのみを確認しておくにとどめましょう。

無着の『摂大乗論』では、〈染汚意〉と呼ばれ、〈阿頼耶識〉の一面として捉えられており、まだ独立した地位を与えられていないことは、前にもちょっと述べた通りです。世親になるとそれをはっきり独立したこころとして捉えるのですが、そのあたりにも、先哲たちの内省の苦悶をみる思いがいたします。

6　深層の自己――〈第八阿頼耶識〉

「もし実体的自我がなかったならば、憶と識と誦と習と恩と怨等の事は、どう理解したらよいのか」という問いが『成唯識論』にあります。

「憶」は記憶、「識」は認識、「誦」は経典などを誦すること、「習」はものごとに習熟すること、「恩」はうけた恩を忘れぬこと、「怨」はうらみをいつまでも抱きつづけることですから、ここで問われているのは、実体的自我がなかったならば、意識の持続はどう解釈すればよいのか、という持続性への疑問といってよいでしょう。

『論』には、これにつづいて、「もし実体的自我がなかったならば、過去の行為の影響が現在にあるとか、現在の行為が未来に影響する、すなわち〈業〉はどう解釈するのか」、あるいは「生死輪廻の主体は何か」などの問いを設けています。「人格の連続」「生命の連続」という、これもやはり持続性の問題です。

仏教のように実我を否定するならば、統一され連続・持続した人格を理解するには、何かそれに代わる連続した主体を求めなければなりません。それは、何かと問うのです。意識の持続や業や生死の連続を支えるものは何か、唯識は、これに答えなければならぬのです。

記憶はどこに潜んでいるのか

私たちの記憶とはなんだろうか。こころの構造のうえでは、どの〈識〉に記憶はあるのだろうか。〈第六意識〉までの人間理解では、十分に納得のいかぬ私たちの経験に、先哲たちは思いをめぐらしていったのでした。

たしかに、〈第六意識〉の中にあるといえるような記憶もある。一夜づけの試験勉強などというのは〈第六意識〉で十分説明もつき納得もいきます。

しかし、そうして憶えた知識も、試験が終わるとすっかり消えさってしまう。完全に消えさってしまって、二度と思い出すことのないものもあり、必要な時には、すぐ思い出されるような形で忘れてしまうものもある。ひと口に記憶といってもいろいろな型があるようですが、いったいその間、記憶はどこに消えどこに影をひそめているのであろうか。どのようにして現われるのであろうか。

自分ではいつの経験なのか、それがどこなのかさっぱりわからないことで、何かの時に断片的に浮かび上がってくる光景があったりします。

「どこかで見た顔だなあ」と思うが思い出せない、憶えているということと、忘れているということとの境界にさまようような記憶もあります。いったい、記憶とはこころの構造のどこにその位置を求めればよいのでしょうか。

私たちが何かを稽古すると、自分では自覚はしないのにだんだんと習熟していく。〈第六意識〉までの人間理解ではこういうことはどのように説明するのか。

また、人間の行為——身体・言語・こころの行為が、その人柄を形成していきます。中学・高校では、みな同じようであった友だち同士が、十年・二十年たつと、それぞれの職業にふさわしい容姿相貌を備えてくるものです。長い間の生活が、人間をそのように形成しているのです。長年聞法をつづけられたかたには、一見それとわかる品位が備わっております。

そのような行為による人格の熟成、それは〈第六意識〉だけでは説明できないのではないか。

昔受けた恩にむくいるとか、あるいは、いつまでも怨みを抱くとか、人のこころの持続を、どう考えればよいのでありましょうか。

私たちはまた、父祖の生命を受け継いで生きていますが、その「生命」を、こころの構造の中に位置づけるとしたらどこにおけばよいのでしょうか。世親の『倶舎論』では、生命を〈命根（みょうこん）〉と呼んで、独立した一つの実体と考えていますが、唯識は、そういう実体的考えかたを否定しこころの重層的な構造に統一して人間を理解しようとするわけですから、その構造の中にうまく組み込んで考えざるをえません。

また、人間は、一人ひとり独特の人柄・人格性・持ち味を持っているものですが、そういう人間の実態はどこから生まれてくるものであろうか。

あるいは、二重人格という現象にぶつかることもあります。心理学では「二重人格」というのは、ある一定の期間、まったく別の人格となる現象を指すようですが、私たちは日常生活の中に、そんな異常な状態としてではなく、始終触れる二重人格の現象を経験します。ふだんは温厚な人が、怒ると別人のように変わり、びっくりするような悪態をつく。酒ぐせが悪い、などというのもやはりその一例でしょう。酔がまわるとガラッと変わった人のようになる、そういうのをみていますと、人間には〈前五識〉と〈第六意識〉だけでは捉え尽くせぬ何かがあるようです。

〈阿頼耶識〉＝深層意識の発見

さまざまのこうした疑問や省察が、こころをさらに深く探索させたのでありました。そしてそこに、深淵のような暗黒のこころを発見したのです。それを〈阿頼耶（あらや）識〉と呼びました。『成唯識論』では、第八番のこころとしますので、〈第八阿頼耶識〉ともいいます。

〈阿頼耶〉とはインドのアーラヤという言葉をそのまま音写したもので、その点〈末那〉と同じです。アーラヤとは、「下層に横たわる」「埋没する」という語の名詞化されたもの（袴谷憲昭『玄奘』）で、「蔵する」という意味であるといわれます。「下層に横たわる」という語根から作られた言葉だというあたりは、私たちのこころの深層への旅路に実にぴったりです。インドの人たちは、「アーラヤ」と聞くだけで、その語の持つ複雑な独特のニュアンスを理解できるのでありましょう。

　インドの原語はアーラヤ、漢字で〈阿頼耶〉と書くと、のばさないで「あらや」と読む習慣ですが、「阿」という字は、「あー」というインドの音を表わすのに使われていましたので、中国に翻訳した段階では、「あーらや」と読み、日本でも当然もとはそうだったのではなかろうかと思います。しかし現在では、漢字で書いた場合は、「あらや」と短く読むのがふつうです。

　さて、「蔵する」という意味から、意訳する時には、〈蔵識〉と呼びました。

「下層に横たわる」という意味を語根とするアーラヤと呼ばれるところには、このこころが、〈前五識〉〈第六意識〉を超えた下層の領域のものとして捉えられていること、合理的に解決のつかない人間の混沌とした深みを、根底に見出したという事情が実によく現われています。

「蔵する」という意味は、その暗闇のこころの内容を、具体的に把握しようとしたものといえましょう。

　人間のこころとは不思議なものです。

　遊園地のジェットコースターなどに乗るとこわい。しかしこわいけれど乗りたい、という矛盾した気持があります。

放火魔などというのは、火をつけて家の焼けるのを見ると、なんともいえぬ快感を覚えるといいます。私たちのこころの底にも、火や焔に興奮する野性が隠れひそんでいるのは事実ですが、そういう人は、それが病的に異常なのでしょうか。それにしても、人間のこころの深さや不思議を考えさせられることがらです。常識では考えられぬこころの神秘です。

〈第六意識〉までのこころで、人間を捉えようとしても、どうにも捉ええぬ人間——先哲たちが、根本識とか細意識などと、さまざまに探究していった深い人間への沈潜が必要であったのでした。

何がそこに蔵されているのか、貯蔵されているのは何であるとするのでしょうか。

それは、「過去の経験」であり、同じものが、別の角度からみれば「現在や未来を生み出す力」となります。それを〈種子（しゅうじ）〉と呼びます。

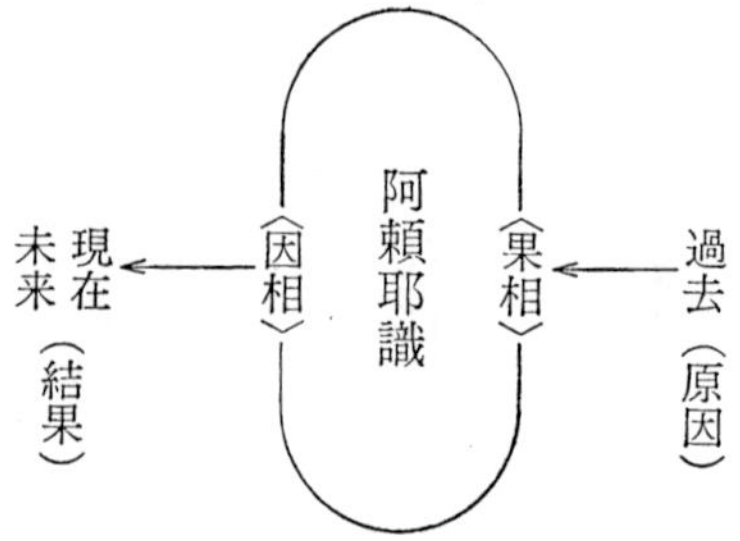

過去（原因）→〈果相〉阿頼耶識〈因相〉→現在未来（結果）

〈阿頼耶識〉のいろいろな性質

「過去との関係」で〈阿頼耶識〉をみた場合、過去を因とすると、現在はその結果ということになりますので、〈果相〉と呼び、「現在や未来との関係」でみますと、それは、現在や未来の原因となりますので、〈因相〉と呼びます。「過去との関係」でみた場合を、〈異熟（いじゅく）識〉とも呼び、「未来との関係」でみた場合を、〈種子（しゅうじ）識〉といいます。〈阿頼耶識〉には、視点のちがいによっていろいろな別名があるわけです。

〈異熟〉とは、「異類にして熟す」と注釈をされており、現在の自分は、過去の〈善〉〈悪〉業の結果としてその影響のもとに存在しているにもかかわらず、〈無記〉として存在している、つまり、〈善〉〈悪〉→〈無記〉と種類のちがった性質として在るという意味だといいます。

〈無記〉とは、仏教の独特の価値基準で、〈善〉〈悪〉いずれでもないものです。

唯識では、善・悪の価値判断を次のように三つに分け、非善非悪の〈無記〉をさらに二つに分類します。

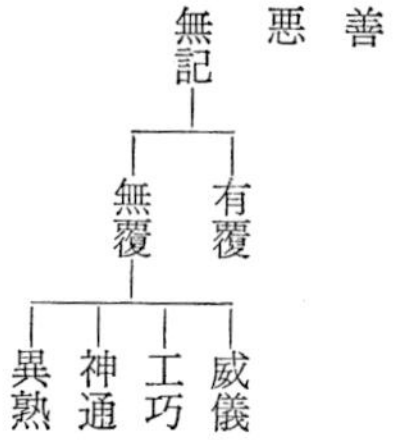

- 善
- 悪
- 無記
  - 有覆
  - 無覆
    - 威儀
    - 工巧
    - 神通
    - 異熟

〈有覆無記〉は、善悪いずれでもない、その意味では〈無記〉にはちがいないのですが、「聖道を覆障する」つまり、清浄なこころを覆いかくすという性格のあるもので、悪のように清浄性を破壊するほどの強い力はないが、清浄になりにくくする働きをいいます。〈識〉でいいますと、具体的には〈第七末那識〉がそうだといわれます。〈末那識〉はあとで見ることになりますが（一八〇ページ）、〈阿頼耶識〉のほうは〈無記〉の中でも〈無覆無記〉とします。〈無覆無記〉は完全な非善非悪で、無色透明といってよいのでしょうか。
〈無覆無記〉は、(1)威儀無記＝行住坐臥の無自覚的な行動、(2)工巧無記＝ものを作る技術的行動、(3)神通無記＝神通力で変現した化人の行動、と、(4)ただいまの、生存そのものを意味する〈異熟無記〉をいいます。

人間は、〈善〉〈悪〉業によってのみ自分の人格・人柄を作りあげていきます。〈善〉〈悪〉とは、自覚的な行為です。自覚的に選択していく、そこに〈善〉〈悪〉業があり、そういう自覚的な行為によってのみ、人間は形成されていく、その一面もまた真実です。向上の力を養うのは、やはり自覚的な〈善〉の行為の蓄積が不可欠です。ただ、ぼんやり坐っているところからは、すぐれた人間は生まれてきませんし、自分自身の向上もありません。

しかし、ここに存在する自己自身は〈無記〉です。ここで呼吸し、ここで生活をしている自分の生存自体は善でも悪でもありません。〈無記〉の人間が、善・悪の行為をするのです。

このように〈善〉〈悪〉業と、〈無記〉の存在との間には、一つの矛盾があるわけです。矛盾はあるけれども、それが人間の真実である——その深い人間観察から、〈異熟〉という言葉は生まれたのでありましょう。

無色透明の人間観

〈阿頼耶識〉は異類にして熟し、〈無覆無記〉のものであるということは、私たちの存在は根本的には無色の存在であるといっていることです。数字のゼロを発見したインド人の共通の発想の基盤から生まれた価値基準の一つでありましょうか。

人は、善悪いずれでもない、無色の存在である。

そのことはいったい私たちに何を語るのでありましょうか。私はそのことから次のことを学ぶように思います。

第一は、人間を見るのに、いきなり善悪などの価値観を持ち込まないということです。これは、前にも述べましたように、唯識のすばらしい人間観です。人間観というと、性善説とか性悪説とかいって、特定の価値観でいきなりそれをくってしまおうとする傾向がないわけではありません。

しかし、人間を見る時、一番大切なことは、存在そのものをそのまま捉えることではないのか。何かの価値基準をあてはめたり、先入観や既成概念で計量することでないのではないか。唯識が、その意味で〈阿頼耶識〉を〈無覆無記〉だとすることは、非常にすぐれた人間観察といえるのではないか、と思うのです。

およそ価値判断というのは、何かを基準にして下される思惟であり、基準も思惟もだいたい人間の都合で構築されるものですから、存在を善悪などに断定的に決めていくことは人間の恣意にすぎないことが多いわけです。人間に都合のいいものが善といわれ、気にいらぬものが悪とされる、そういう性格が価値判断には潜在するものです。

存在をそのまま見るためには、一度そういう思いを捨てる必要がある。それが〈無覆無記〉です。

他人を見る際に、あれは善人、あれは悪人などと安易に分類することが、いかに人の存在への冒瀆であるかを考えてみれば明瞭な存在の真実でありましょう。

第二には、〈阿頼耶識〉は〈無覆無記〉だということは、過去の悪の行為が、許されるということです。消えるのではありません。一度おこなった行為の痕跡は消えない。善悪いずれであってもそうです。悪の行為の痕跡は消えませんが、〈無記〉だということは、現在の存在はその過去の悪の行為に絶対的に拘束されているわけでないことを意味するわけです。ただ、今のおのれの行為によって過去の悪が許され、今日の自己に転換の可能性が与えられていることだといえましょう。誰しも過去に一度や二度は嘘をついたり人の悪口をいうというような悪を犯したことはありましょう。もしそれが決定的に現在や未来を制約し拘束してくるのみであるとしたら、私たちには自己変革の道が閉ざされていることになります。〈無記〉という人間理解は、そこに許される一つの道を残していてくれることになります。

第三は、その逆で、いくら善の行為を積み重ねても、存在それ自体は〈無覆無記〉なのですから、いつ何時でも、悪に変身する可能性をひそめていることになります。もちろん、修行を重ねた人は、その可能性はどんどん少なくなるのですが、〈無記〉だということは可能性がまったくゼロにはならぬということです。

人間は、限りなく向上の力を秘めているとともに、限りなく転落後退の可能性も持っている。その現実の人間体験が、この〈無記〉の人間観を形成したのでありましょう。

唯識では、仏果を成ずるには、三祇百劫の修行が必要だといいます（後述）。三祇百劫は「数えることのできぬ長さ」ということですから、修行は果てしないものだといっていることになります。「道は無窮なり」（道元）というのも同じことをいうわけですが、修行が無窮だというのは、人間が存在の基本において〈無記〉であるからだといえるのです。いつでも転落の可能性を持っているから、気を許してはならないということです。「道は無窮なり」という語にはもう少しちがった意味もあるのですが、ここでは触れぬことにいたします。

「未来との関係」で〈阿頼耶識〉をみる場合は、〈種子識（しゅうじ）〉と呼びます。〈種子〉とは、過去の経験の痕跡です。私たちの人格の底に、経験が跡をとどめていく、それを〈種子〉と呼ぶわけです。跡をとどめた経験が、あたかも植物の種子が、やがて芽を出し、花を咲かせ、実をみのらすように、現在・未来の自分を作りあげる力となるからです。

今日の私は、過去の私の経験の集積であり過去の私の結果です。その私が、現在の私となり、未来の私の土台になります。今日まで蓄えてきた力が、未来の私を作りあげる根元になるわけです。〈種子〉とは、過去の経験の痕跡ですが、それが、未来を創造する力ですし、それを除外して、現在の自分も未来の自分もありえない、そういう見かたで捉えたのが、〈種子識〉です。

したがって、この本のたどっている道筋からしますと、後のこころの能動性の分野とのかけ橋になる面でありますので、そこで改めてみなおしたいと思います。

執着される性質

〈阿頼耶識〉のもう一つの重要な性質は、我執の対象として執着されるということです。元来、〈阿頼耶識〉そのものは、空・無我の存在であるにもかかわらず、実体的な自我として、頼りにされる傾向を持っているということでありましょう。

前に見ましたように、私たちは根本的には空・無我の存在です。いろいろな条件の結合によって、いまこの相(すがた)で、ここに存在しているものにすぎません。だから、刻々にその様相を変えています。無我・無常の存在です。当然、私の根底である〈阿頼耶識〉も同じです。一刻もとどまる時なく動いている。生きているということは、そういうことです。

世親の『唯識三十頌』には、〈阿頼耶識〉は「暴流(ぼる)のようだ」といわれています。激しい流れです。激しい流れのような自己、それが〈阿頼耶識〉の正体です。それが自己の実態です。

ところが、人間は、流れるだけでは不安になります。どうも人間は、動かぬものを求めたいようです。動かぬものにすがって安心したい、安定したい。生活の安定を求めるように、こころも安定したいし、存在全体として、安心できるものを探し求めます。

その希求が強い。そういう希求が、動く〈阿頼耶識〉――暴流の自己を動かぬものとして捉えようとするのです。

不動のものが欲しいから、流動する自己を不動の自己と思い込もうとするのです。動く自己が、自己のうえに不動の虚像を描いて、虚像の自己を真実の自己と思う。そうした心内のからくりの中で、〈阿頼耶識〉は、不動の自己と思い込むのにもっとも都合のよい性質を持っているのです。古い過去の自己の残痕を貯えているから……。

古い自己の残痕を貯えているから、昔の自己と現在の自己とが一体のものだと思われやすいのです。

去年の記憶も、子供のころの思い出も、ちゃんと現在の自己の中に在るではないか。そうならば、去年の自己も自己、子供のころの自己も自己のはずだから、自己とは連続した不変の実体であると、そう思い込むのに、一番ぴったりの性質を具備しているのが〈阿頼耶識〉というわけです。

実体的存在と誤認されやすい性格、不変不動の実我として執著されやすい性質を持っているわけです。

それを〈執蔵〉といいます。〈阿頼耶識〉を〈蔵識〉ということは前にみた通りですが、その〈蔵〉という字の意味の一つとして、「執著される蔵識」というのを指摘しているわけです。

また、それを〈我愛執蔵位〉の〈阿頼耶識〉ともいいます。自我を愛着し希求するこころが、実体我として執著する時の、執著される対象としての位置にあるそれという意味です。

人間が、いかに変わりゆく自己の実態を直視することを避け、いかに不動の自己を希求しているかを実にうまく捉えた言葉といえましょう。

生命維持の性質――〈阿陀那識〉

〈阿頼耶識〉には、その捉える角度によって〈異熟識〉〈種子識〉という呼びかたがある、また〈執蔵〉という見かたもある、それは、それぞれ見る角度のちがいによるのだ、ということを述べてきたわけですが、もう一つ大切な異名に、〈阿陀那識〉というのがあります。

〈阿陀那〉とは、インドの「アーダーナ」の音写語で、「アーダーナ」とは、「執持」と訳し、ものを支え、維持していくという意味です。〈阿頼耶識〉には、人の生存を支え、維持していくという一面があり、その一面を摘出して名づけたのが〈阿陀那識〉です。別ものではありません。そして、人の生存を支え、維持していくとは、ほかならぬ「生命」です。『倶舎論』では〈命根〉と呼んで、独立した実体と考えたものを、ここで〈阿頼耶識〉の別面として捉えたわけです。〈阿頼耶識〉は、人格性を維持し形成していきますが、それとともに、人の生存を維持する「生命」でもあります。それが〈阿陀那識〉と呼ばれる一面です。

そして、「生命」は、親から子へ、子から孫へと相続されていきます。親は親、子は子と別々の存在ですが、相続される「生命」自体をみれば、一つの「生命」の連続です。親と子は、別々の個体でありながら、「生命」そのものは、連続を否定できません。そういう角度からいえば、「生命」でもある〈阿頼耶識〉は、ある時は親、ある時は子と、輪廻転生しているともいえるわけです。

さて、この節は、最初、「もし実我がないならば」、記憶とか業とか生死輪廻などの事実を、いかに説明したらよいのかという問いからスタートしたのでしたが、唯識は、そういう人間の連続性の一面を、どうやら〈阿頼耶識〉をもって解決していこうとしているといえそうです。「生命」という実体はない。不変の実我もない。しかし、〈阿頼耶識〉が根底にあって、それらの疑問に十分に応えうるのだと唯識はいうのであります。

7　先天性と経験の集積――〈熏習〉と〈種子〉

自己の省察を深めて、唯識は、自己の根底に、深淵のような暗闇の自己を発見したのですが、その〈阿頼耶識〉は、具体的には過去の経験の痕跡をとどめたものだといいました。

この節は、経験の痕跡をとどめる構造、つまり、〈熏習（くんじゅう）〉についてみたいと思います。

平安時代の貴族たちが、衣服に香をたき込めたように、経験がしっとりと人格の中に浸透していくのを〈熏習〉というのです。

経験蓄積の構造――〈熏習〉

『顕識論』という本には、「香を焼くと衣服にその香りが浸み込んでいく。香はなくなっても、しみこんだ香気はいつまでも衣服に芳（かお）っている。熏習とはちょうどそのようなものだ」といっております。同じ趣旨ですが、洞山良介（とうざんりょうかい）（中国の禅僧、八〇七〜八六九）は、「ちょうど霧の中を行くようなものだ。衣服を濡らしたわけではないのに、いつの間にかしっとりと湿ってしまう」といっています。

香のにおいが衣服にしみ込むように、高原の霧の中を歩いていると、いつの間にか衣類がしっとりしめってしまうように、私たちはいつからどう変わったのかわからぬうちに、自分の積み重ねた経験によってある一つの香りのようなものを人格に備えていく。

そういう蓄積の構造――それが〈熏習〉です。

したがってそれは、頭で理解し記憶していくという経験の吸収の方法とはまったくちがいます。憶えようと思ったことを記憶し〈熏習〉していくことはあたりまえのことですが、積極的に憶えておこうと思うほどのことでなくとも、知らず知らず〈熏習〉されていく、憶えたくないと思ったこともまたちゃんと貯蔵されてしまう。

人間の行為というものは、刻々決断によって選びとられていくものであり、そこに自覚的な真の人生の創造があるのは事実です。

しかし〈熏習〉は、自覚的でない人間の行為までが、人格形成に大きく参与していることを語るものでありましょう。

善いことをすれば、善いことが〈熏習〉され、悪いことをすれば、当然、悪の〈熏習〉があります。悪いことに気がついて、反省をすれば、反省の〈熏習〉があり、悪を隠そうとすれば、隠そうとした行為が〈熏習〉される。そういう〈熏習〉の集積が、今日の自分の姿であります。

生活習慣とか、ものの見かたや考えかた、その人柄、そういうものは、とくに自覚的に作りあげたものばかりではないにもかかわらず、いつの間にか、その人らしいものを作りあげてしまう。

理解して、自覚的に習得するという経験や学習も、それも当然〈熏習〉ですが、〈熏習〉という場合には、それよりも幅の広い領域を含むというのが特徴でありましょう。

その時には、とくに意識してはいなかったけれど、あとで考えてみると気がつく、そういう合理的とは決していえぬような経験集積の構造が私たちの中にあることは否定できぬことでありましょう。

見たものも見たことも〈熏習〉されていく、聞いたものも触ったものも考えたことも自己の根底に〈熏習〉されていくのです。

〈熏習〉は、どこに〈熏習〉されるのか。つまり、香のかおりは、衣服に残るというけれど、その衣服に相当するのは何か。

いうまでもなくそれが〈阿頼耶識〉です。奥深い自己の底に、私の一挙手一投足がことごとく、香が衣服にしみ込むように〈熏習〉されていくのです。

アメリカでは、交通事故の目撃者に催眠術をかけて、逃走した車のナンバーを思い出させるという方法がとられることがあるそうです。そうすると、催眠術にかかるまでは、ナンバーをしっかり見たかどうかさえわからぬ人が、ちゃんと思い出すというのです。本人は自覚していなくても、視界にとび込んできたものは、きちんと記憶されているというのですからおそろしいものです。そんな方法で記憶を調べられたのでは人権上危険ですので、批判もあるそうですが、とにかく、人が経験したことは自覚のあるなしにかかわらず、みんな〈熏習〉されているというその事実は、人間の真実として否定できぬことでありましょう。

唯識は、その〈熏習〉を、〈見分熏（けんぶんくん）〉〈相分熏（そうぶんくん）〉という二面で捉えます。

〈見分〉〈相分〉については、のちに詳しく見ることになりますので、ここでは、〈見分〉＝主観、〈相分〉＝客観と一応いいかえておきましょう。つまり、見る、聞く、嗅ぐ、味わう、接触する、考えるなどの主観的能縁性の一面を〈見分〉、見られたり考えられたりする対象の一面を〈相分〉とします。

「見るもの」＝能縁、「見られるもの」＝所縁、この二つによって認識は成立するのですが、その二極が、それぞれ〈熏習〉されるとするのが、〈見分熏〉〈相分熏〉です。

〈相分熏〉は、見たり聞いたり考えたりした対象が〈熏習〉されることです。認識の内容といってよいのでしょうか。花を見ると、その花の色彩や香りが〈熏習〉される。〈第六意識〉の対象は〈法境〉ですが、意識の対象――概念・言葉・思想・イメージなど、対象的に認識されたもののすべてもみな〈熏習〉されるわけです。

〈見分熏〉のほうは、それに対して、見たり聞いたりする主体の働きそのものの〈熏習〉です。色彩とか音声とか知識とかそういう対象ではなく、捉える働きそのもの、〈能縁〉の働きそれ自体の〈熏習〉です。いい絵を見た時、その絵の色彩とか構図とかを私たちは記憶します。それが〈相分熏〉です。

いい絵を見た時には、もう一つの面があります。いい絵を見た感動です。その感動は〈見分熏〉となって〈熏習〉されるわけです。

映画の場合など、一つひとつの情景は忘れてしまっていることもありますし、ひどい時にはストーリをほとんど憶えていないことさえありますが、ただすばらしい映画であったという感動だけは心の中に深く刻みつけられて残っているものです。それが〈見分熏〉でありましょう。

「ものを見る」ということは、「何かを見ている」ことですから、見るほうと見られるほうとは、まったく別々のものであるわけではありませんが、厳密に区別していけば〈見分熏〉と〈相分熏〉になるわけです。

つまり、私たちは対象的な存在についての経験も〈熏習〉し、それによって内容を豊かにしていく一面を持つとともに、自分自身の心的内容をも〈熏習〉によってますます深め、ますます豊かにしていく、といえるのです。

〈熏習〉によって、自分が変わり豊かになっていく。

わからなくとも、難しくとも仏陀の法を学んでいく、その時、それは知らず知らずのうちに、私たちの奥底に〈熏習〉されていくのでありましょう。

認識の対象の世界も、認識主体の動きも、ともに〈阿頼耶識〉の中に〈熏習〉されていくのです。

仏教の言葉には、なかなか含蓄あるものがたくさんありますが、〈熏習〉もその一つです。

現代社会は、あまりにも知性とか合理性とか理解など知的な一面が重視されすぎている傾向があるのではありますまいか。話して聞かせてわからせる、そういう方法のみが大切にされすぎるきらいはないでありましょうか。

人間の学習や成長や人格形成を捉えるには、もっともっと広い視野が必要なのではないか。〈熏習〉はそういう別の学習・人格形成の論理を提起しているとも考えられます。

蓄積されていく経験――〈種子〉

経験が蓄積されていくのを〈熏習〉といいました。

蓄積されていく経験を〈種子(しゅうじ)〉といいます。つまり、〈種子〉が〈熏習〉されるということになります。

〈阿頼耶識〉の中に、つまり人格性の根底に〈種子〉が〈熏習〉されるわけです。

花を見れば、その花の色彩や形体が〈種子〉として〈熏習〉される。これが〈相分熏〉。

花を見た感動が、〈種子〉となって〈熏習〉されるのが〈見分熏〉です。

〈種子〉を〈熏習〉することによって、私たちは経験を増し、内容を豊かにしていくわけです。

ただ、こういういいかたをしてしまいますと、〈種子〉という文字の印象から植物の種子を思い出し、胡麻粒かなにかのような粒子を連想しやすいのですが、そんなものでないことはむろんです。『成唯識論』では、「生果(しょうが)の功能(くのう)」といっている通りに、一つの力と考えるべきものでありましょう(「生果」については後述)。

自分の行為が、自分の力となって蓄積されていく。それを〈種子〉と呼んだわけです。

〈阿頼耶識〉といえば、ガラスの容器のようなもの、〈種子〉といえば、胡麻粒のようなもの、ガラスの容器に胡麻粒がいれられている――そういうものであるはずはありません。〈阿頼耶識〉とは、〈種子〉の積集統一そのものです。

別のいいかたをすれば、体的に捉えれば〈阿頼耶識〉、用的に捉えれば〈種子〉というのであって、

〈阿頼耶識〉と〈種子〉とは、一体不離のものといわなければなりません。

先天性と経験性

ところで、その〈種子〉は、経験によって獲得されたものであろうか。それとも、経験以前に本来的に具備しているものもあるのであろうか。いいかえれば、人間の持つ力とか能力とか素質などは、環境から吸収していったものなのか、先天的に備え持っているものなのか、という問題です。

それについて、『成唯識論』は、両方の面があると述べるのです。きわめて常識的な解答ですが、具体的・現実的な人間に即した把握であるといえましょう。

唯識の学僧たちの中には、先天的素質を重視し、人間の力も能力も、経験によるのではなく、本来的に備わっているのであって、経験は、ただ本来在るものを伸ばすにすぎないという立場をとる人もありました。それを〈本有（ほんぬ）〉説といい、インドの護月（ごがつ）の主張がそうだといわれます。

考えてみれば、人間の素質や能力は、先天的に決まっている側面があるのも事実です。記憶力だとか判断力だとか、そういうものも当然そうですが、強気・弱気、積極的・消極的、外向性・内向性など、一人ひとり親ゆずりのそれぞれの気質を持っているわけで、それらは先天的にもって生まれたもののように思われます。

人にはそれぞれの器（うつわ）がある。器量がある。それは人の力ではいかんともできぬ大きさであり限界でもあります。

人間の眼に見える範囲も限られていますし、においなども、犬の嗅覚に比べたら比較になりません。その限界は、どんなに訓練をしてみてもどうにもならぬのです。与えられた力の中で生きねばならぬ――そういう指摘が〈本有〉説でありましょう。

それに対して、同じくインドの学僧である難陀は、〈新熏〉説をとりました。彼は人間の能力や素質は、経験を通してのみ吸収されると考えたのです。人間の能力も素質も、経験を通して修得したものである、〈熏習〉によって獲得したものであるというのです。しかもそれは、一人の人間の何十年かの経験をのみさすのではなく、両親の経験、祖先の経験、はるかに遠い人類の経験、それらの積み重ねによって、今日只今の私たちの生存があるとするのです。「無始の時よりこのかた」といういいかたで、〈熏習〉の積み重ねの悠久性を難陀は唱えています。

前の〈本有〉説が人間の素質の限界に着眼したとしますならば、〈新熏〉説は、人間の営々として築きあげてきた歴史の発展や人間の可能性に照明をあてたものということができるでしょうか。

しかし、じっと考えてみますと、人間はこの両面を持っているのではありますまいか。

先天性と経験性の総合

人間には本来的に持つ一面と、生活を通して吸収し取得していく一面とがあります。二面の備わったのが現実の人間だという人間観を確立したのが、護法でした。

折衷説といえば折衷説でしょう。しかし、私は折衷説とはとりません。現実の人間存在を率直に凝視すれば、護法のいうように二面を持ったのが真の人間の相（すがた）ではないか。論理的にはAかBかと割り切るほうが明快ですが、現実はそうはいかない。現実は、それらが渾然一体となったものですし、護法はそこをおさえたと見るべきだと思います。

本来的に持っている〈種子〉を〈本有種子（ほんぬしゅうじ）〉、経験的に蓄積したものを〈新熏種子（しんくんしゅうじ）〉といいます。一人の人間の内容はその二面の集積であります。天与の器もある。その人が磨きあげていく面もあります。

人間は、一人ひとりが、環境から多くのものを吸収しおのれのものとして成熟してきて、一つの人格を作りあげていきます。「育ちがよい」などというのはそれをいうのでありましょう。知人に一卵性双生児で、一人が生後間もなく他家に養子に行き、大人になった時には、坐作進退、とても兄弟とは思われぬようなちがった人格になっている人があります。〈新熏種子〉のちがいが、人柄のちがいとなっていったのでありましょう。

人類の文化や歴史もその通りでした。営々として経験を積み重ねて作りあげられてきたのが今日の文化であり社会です。

修行とか精進とかが、仏教を学ぶ大切な要素であるのは、この〈新熏種子〉の現実にもとづくものでありましょう。

日展無監査にまでなったある書家が、若いころ、書いても書いても上手にならない、自分の納得のいくものがどうしてもできない、「ええいもうやめてしまえ」と思いつめて近くの坊さんに訴えた。その時坊さんは、自分では上達しているかどうかはわからなくとも、一字書けば一字だけ、二字書けば二字だけ、書いた体験が自分の中に蓄積されているのだから、やめてはならぬと戒めた。その言葉に支えられて、ようやく書道をつづけてきた。そう話して聞かせてくれた書家がありました。

人間が生きるということについて、〈新熏種子〉は大きな意味を持つものといえましょう。

しかし、人間にはそれと並んで〈本有種子〉があるという別の面も唯識は指摘するのです。

護法が〈新熏〉説だけをとりあげるわけにいかなかった最大の理由は〈無漏種子〉の問題でした。〈無漏種子〉とは、仏への可能性、如来と同じ清浄な性質のことです。「漏」とは「漏泄(ろせつ)」の意味だと注釈されるのですが、「漏れ出る」ということで、煩悩を指します。自我への盲目的な執著、自分以外のものに配慮を欠く利己性――〈煩悩〉を仮りにそういっておきますならば、その利己性のないのが〈無漏〉です。〈種子〉は〈阿頼耶識〉に貯蔵された潜在的エネルギーですから〈無漏種子〉は潜在する清浄性といえます。

人間は、清浄な教説に触れたり清潔な生きかたを見る時、感動するではありませんか。テレビや新聞でも、美しい行為が報道されると、なんともいえぬほっとした悦びを持ちます。それは、自分の中に、善きもの、美しきものを受けとめる素質が潜んでいるからでありましょう。

決定的なのは、仏陀の真理を受けとめる力を持っていることでありましょう。

唯識は、人間というものは現実的にはなかなか清浄になることはなく、執拗な利己性をひそめているといいます。それが、唯識の人間認識の一つの特徴であり、〈末那識〉という第七番目のこころがそのポイントになります。したがって、そういう利己的な行動が〈新熏種子〉として〈熏習〉されていきますので、人間的には汚れがだんだんふえるわけです。

しかし、そういう人間が何かの機縁に触れて忽然と仏陀の真理に覚醒することがあります。

香厳（中国の禅僧、?〜八九八）は、石ころが竹にあたる音を聞いて大悟したとか、霊雲は桃の花を望見して悟りを開いたとか、禅宗では有名な話ですが、妙好人因幡の源左さんは、薪を牛の背にのせたとたんに信心獲得したといわれ、そういう例は無数にあります。

従来の停滞を打破して、まったく新しい天地を開く原動力、それを内に求めると、それは汚れた経験によって蓄積されたはずはなく、内に本来的に備わっていると考えざるをえません。

それが〈本有種子〉を想定せざるをえぬ最大の理由でありました。

たしかに人間には、どんなにきたえてみても素質がなければどうにもならないという面があります。

それぞれの人間がそれぞれの器と能力を持っている、そういう存在の限界性を〈本有種子〉は語ります。私たちの可視範囲も可聴範囲も限られている。だから、家の周囲にはりめぐらされた防犯用の赤外線は私たちの肉眼には見えません。見えぬから知らないでその光線をさえぎると、防犯ベルが鳴りはじめる。こういう人間の有限性を示す現象も、〈種子〉の問題とすると〈本有種子〉という形で説明することができるでありましょう。

しかし、なんといっても〈本有種子〉の最大の課題は、清浄な〈無漏種子〉を本来的に持っているかどうかということでありました。

汚れた人間が、清浄な人間に変わっていく、それは〈本有の無漏種子〉が在るからだというのが、〈本有種子〉のもっとも切実な答えといわざるをえません。

私たちの行為には、むろん清浄な行為もあり善き行為もあります。しかし、利己性に根ざした行為もまたそれに劣らず今日の私を築きあげてきています。

その人間が、仏教に接し真理に触れて変わるのは、内にそれに呼応して立ちあがる何かがなければならないわけです。受けて立つ何ものかがなければならないわけです。

それが〈無漏種子〉であり、しかも経験によって〈熏習〉されたのではなく、先天的に〈本有〉のものとして具備していると考えたのでした。

どんなに磨いてみても可能性をひめるものでなければ美しくならない。瓦を磨いても玉にはならない。

〈本有種子〉説は、このように一つは限界を示し、一つは可能性を示すものといいえましょう。〈新熏種子〉は、その〈本有〉の可能性を増強する力であるといえましょうか。

護法は、人間はその二面を持つというのであります。

人間の現実相

ところで、この〈本有種子〉について、護法→玄奘と伝えられた〈有相唯識〉〈法相唯識〉は、〈本有無漏種子〉を持たぬ人間があるという独特の立場を主張してきました。一切の衆生は、仏性を持つという立場に立つ一乗仏教に対して、鋭く唯識が対立せざるをえなかった最大の理由はここにありました。いわゆる〈五姓各別〉説です。

人間の真実とか、空・無我の真理とか、そういうものに開眼しえぬ人間がある。本来的に〈無漏種子〉を持たぬ人間がある。つまり、〈無性有情〉という存在がある。

それこそが現実の人間の真相である。

唯識はそう語ります。前にみた通りであります。

人間が、自覚をもって根元的に生きる――そういうことを考えた場合、やはりそんなこととは無関係に生涯を送る人たちが決して少なくはありません。

仏教で、人を狂わせる最たるものとして、名聞利養・吾我の念が数えられますが、名声とか利益とか、自分の思いの充足とか、そういうものにのみ価値を見出す人はたくさんあります。そういう人のほうがひょっとすると世間では出世するかもしれません。

仏教の話を聞くとか、本を読むとか、そんなことは馬鹿馬鹿しいことだと思っている人もたくさんあるわけです。

やはり〈無性有情〉でありましょう。

名声や利益に百パーセントこころを依拠しておれば、自己の根元とか、自己存在の空無性とか、そんな話は馬鹿馬鹿しくて考える気もしないかもしれません。

仏陀在世中もすぐ傍に住んでいながら、仏陀という古今の聖者がそこにいて説法されているということさえ全然知らない人が三分の一いたといわれます。

現実の人間の姿というものはそういうものでありましょう。

〈無性有情〉――護法の眼に映った人間の現実相であったのでありましょう。

〈無性有情〉は、世間の道徳で済度するといわれます。空・無我の人間の真相へは開眼はできずとも、せめて道徳的には立派に生きよと教えられるのです。

このことは、道徳的・倫理的価値基準の領域は、仏教の根本的真実と別次元のものであることを示唆するものでありましょう。

仏教を学ぶものは、善悪の倫理的価値基準を超越した境地に立つのでなければならないのです。名聞利養とは別次元の価値観を持つ、それが仏教を学ぶということの大切な意味であると思うのです。

〈無性有情〉について、もう一つ大切な一面があります。

それは、仏の性質＝〈無漏の本有種子〉を持たない衆生があるということは人間類型の分類としては、それはそれとして現実的な意味を持つのですが、それを自分自身の問題として引きつけて考えた時にはいったいどうなるのかということです。

自分自身にはたして〈本有無漏種子〉があるのかどうなのか。もしある場合は、修行のかいもあるでしょうが、もしないとしたら、ことは重大になります。どんなに修行をしてみても仏果を完成することはできない。修行をしてみても修行は完成しない。そういわざるをえないからです。

つきはなした人間類型としてではなく、それを自分自身の資質の問題としてひきつけて内省を深めてみると、深めれば深めるほどはたして自分に、菩薩や独覚のような優れた機根があるのかと疑わしくなってきましょう。

仏陀の示される清浄な人間像に対して、あまりにも汚れた未熟な自己にぶつからざるをえない。最澄はみずからを「底下の凡夫」といい、親鸞は「愚禿」と呼び、日蓮は「威徳なく有徳にあらぬ身」と自己自身を呼んでいます。それは真剣な内省の叫びでありましょう。

自分は仏だ、自分は仏と同じだと豪語できる人がはたして何人いるでありましょうか。修行をすすめればすすめるほど、真摯になればなるほど、おのれの不完全未熟を痛切に感ずるのではないでしょうか。

玄奘も在印中、同じ苦悶を抱き、観音菩薩に祈念したことがあるといわれます（『大慈恩寺三蔵法師伝』）。

〈無性有情〉説は、人間類型の分類とのみ解するのではなく、内省の深さの発露として受け取るのでなければならないでありましょう。

そういうおさえが忘れられてならないように思います。

では、〈無性有情〉の自覚を持つものは救われることはないのか。仏縁に触れることはないのか。

実はこのことは、かなりの説明が必要なのですが、説明をとばして結論だけいえば、〈無漏種子〉

を持つ上根の人も、持たない〈無性有情〉も、みな同じに、永遠の理法の中に——宗教的ないいかたをしますならば、如来の中に包まれています。この世のもので、永遠の理法の外に存在するものは何ものもないはずです。それに気がつくかつかないかのちがいであって、つこうとつくまいと如来の中に生きていることに変わりはないのです。気のつかないのが、〈無性有情〉であって、仏陀の真理などには、縁もゆかりもなく、名聞利養にのみ生きているにすぎない場合も、ほんとうは、悠久の真理のままに存在しているといわざるをえません。

唯識では、仏と同じ性質を〈無漏種子〉と呼ぶわけですが、多少のニュアンスのちがいはあるものの、別に〈行仏性（ぎょうぶっしょう）〉という呼びかたもします。すなわち、〈行〉＝実践によって開発されていく潜勢的な聖なる力です。素質があっても、行為化されぬ限り、ないのと等しいといえます。あの人にあんな才能があったのかと驚くようなことがあります。才能が潜勢していた間は誰も知らなかった、それが何かの機縁によって現われて、はじめてその真価が認識されるわけです。しかし、素質のない人もあるわけです。〈行仏性〉も同じです。〈菩薩定姓〉〈独覚定姓〉〈声聞定姓〉〈不定種姓〉の人たちは、いずれ開顕される仏陀性をひそめている。それに対して、〈無性有情〉は可能性としての仏性＝〈行仏性〉は持たないのです。

しかし、唯識では〈行仏性〉と並んで〈理仏性（りぶっしょう）〉を説きます。ここに〈無性有情〉の救いの道が与えられるのです。存在の理法、永遠の真理などといってよいのでしょうか。すべての存在を包摂している真理です。〈行仏性〉があろうがなかろうが、迷おうが悟ろうが、生きようが死のうが、一切を包み込んだ不変の真理、全体としての存在そのもの、それは不増不減です。少しも変わらない。菩薩も無性有情も〈理仏性〉に一つに包摂されている。

底下の凡夫が、そのまま如来の掌中にあります。

〈種子〉〈熏習〉による自己の構造

以上、〈熏習〉を受けいれていくほうの一面をみてきたわけですが、それでは、〈熏習〉をしていく自己、〈種子〉を〈阿頼耶識〉の中に投げ込んでいく自己とは、どのような自己なのでありましょうか。〈種子〉を受けいれるほうを〈所熏〉といいますが、それに対して〈種子〉を投げ込んでいくほうを〈能熏〉と呼びます。その〈能熏〉の自己とはどのような自己でしょうか。

それは、〈阿頼耶識〉を依り所とし、〈阿頼耶識〉の上に働く自己であり、しかもそれは、深層の〈阿頼耶識〉が、表層の〈識〉として現われたものであります。具体的に〈八識〉の構造でいえば、〈阿頼耶識〉を除いた七識、すなわち、眼識・耳識・鼻識・舌識・身識・意識・末那識です。その行動のすべてが、根底の〈阿頼耶識〉にその痕跡を〈熏習〉するのであります。

自己が自己に〈熏習〉し自己を作るのです。隠れた自分の現われとしての自分がそこに一つの行為を営み、その行為がふたたび自分の底に〈熏習〉されていくという循環が自己の実態です。

自己は自己を依り所として現われ、その現われた自己によって自己がまた作られていく。

経験によって人は豊かになっていく。そして、豊かな自分によってまた自分が豊かになっていく。

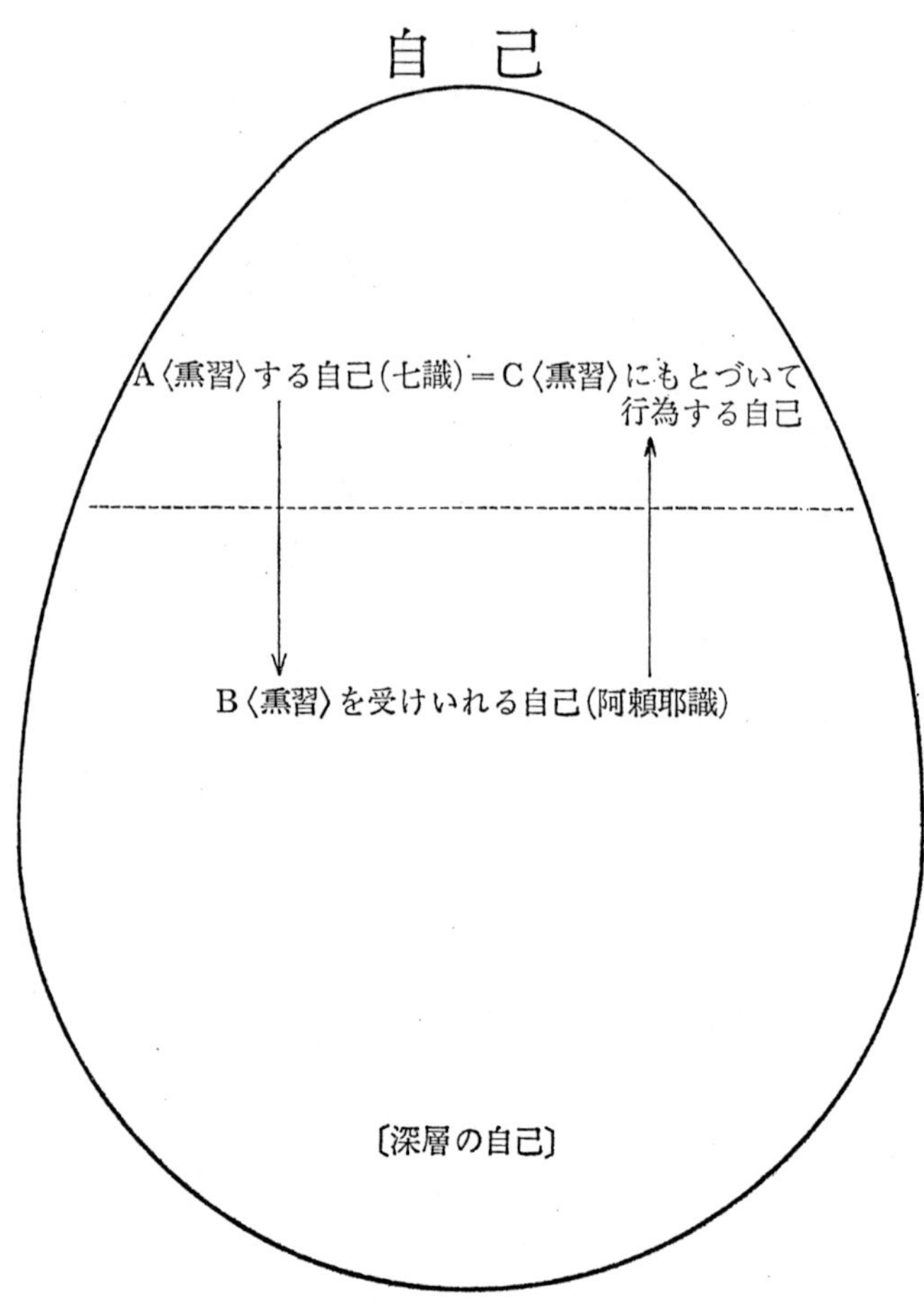
自　己
A〈熏習〉する自己（七識）＝C〈熏習〉にもとづいて
行為する自己
B〈熏習〉を受けいれる自己（阿頼耶識）
〔深層の自己〕

〈熏習〉とは、そういう人間の豊饒な営みをいうのです。

これをもう少し具体的に分析すると、A熏習する自己、B熏習を受けいれる自己、C熏習にもとづいて行為する自己、の三つの自己が在ることになりますが、その三者の働きを唯識は同時のことと把握します。A熏習する自己は、C熏習を受けいれた自己の現われです。熏習する自己が、熏習された自己として保存されるのは、その二つの働きの場としてのBの自己です。この三者は同時に生きた存在として燃焼しているとでもいえるのでしょうか。

AからBになり、BからCが生まれるというように、時間的経過を認めないで、同時、同瞬間の働きとするのです。

人間が生きていることは、A→B→Cが同時に激しく働いていることを意味します。

自己は、自己が作り、作られた自己が、また自己を作る。それが人間の実態であると唯識は語るのです。

このような人間像を、唯識は、「種子生現行、現行熏種子、三法展転因果同時」と偈頌でまとめています。〈現行〉とは現実と同義ですが、この場合、図の表層ACを意味します。第一句「種子生現行」は、B→Cの関係、第二句「現行熏種子」は、A→Bの関係です。〈三法〉は、〈種子〉とそれにもとづく表層の働き〈現行〉と、その〈現行〉の熏習した〈種子〉とです。〈種子〉→〈現行〉→〈種子〉の無限の循環です。「展転」は、唯識の時は「ちんでん」という特殊な読みかたをします。

とにかく、生きた人間の現実相を、表層と深層との火花の散るような相互のかかわりのものとして捉えているところは見事です。

私たちの行動は、すべて〈阿頼耶識〉中に〈熏習〉されていく。それが唯識の捉えた人間認識でした。

ただ、その〈熏習〉説に、一つ特別の〈熏習〉の問題が残されています。それは〈聞熏習〉〈多聞熏習〉と呼ばれる〈熏習〉です。

それは、仏陀の説法を聞くことです。

仏陀の説法を聞くことのできない現代の私たちからすれば、仏教の勉強ともいってよいでしょうし、あるいは、真理に触れるといってもよいでしょう。とにかく、名聞利養と別次元の清浄な話に触れるという行為の〈熏習〉です。

なぜ、それが問題になるのかといいますと、私たちは自分勝手にものを聞く、自分の都合で適当にねじ曲げて話を聞くという性質を強く身につけているからです。これはあとでみることになりますが、〈第七末那識〉という利己的性質によって、ものを正しく受けとめない。存在の基本構造にそうした歪曲性を持っているわけで、それでは、そういう私たちが、どれだけ清浄な仏陀の説法を正しく聞きとりうるかということが問題になるわけです。

清浄なものも、自分の都合のよいように曲げて聞いてしまう。そういうことがあるのではないか。唯識は、その時、清浄な仏陀の教えは二つに分裂して、一つは、やはり、私たちの利己性に色づけられて受容されていく、しかし、もう一面は、清浄なままに〈熏習〉されていくと述べています。前者の〈聞熏習〉は、私たちの利己性によって曲げられておりますから、仏陀の教えであるという点では清浄ですが完全ではない。ですから、それは人を清浄にする力を持ちながら、しかも最終的には消去される性質のものです。それに対して、第二の〈聞熏習〉は、清浄不変の真理の声がそのまままっすぐ内面の〈本有無漏種子〉に響きますので、窮極的な浄化の力を持つと考えられます。

〈聞熏習〉が、このように二つに捉えられているということは、私たちは、自分自身の聞法を無条件に真実と思い込むことの危険性を一面で示していることであると同時に、しかしそれがどうであれ、聞くしかない、学ぶしかないということを語るもののように思われます。

至心に聞くならば、一部は曲げられることはあるかもしれないが、かならずやその一部は、仏陀の清浄な真理そのままを〈熏習〉していく、ひたすら法を聞けといわなければならないのでありましょう。

第六章　こころの能動性

主観的三角形（『サイエンス』1976年6月号，日本経済新聞社）

こころを第一眼識より第八阿頼耶識へ向かって内省的に深く掘りさげていく、それがこころの探究の一つの方向でありました。

その場合は、こころは外部の情報を受け入れていくもの、という受動的な角度からの見かたでした。〈前五識〉が外界を受け入れる、〈第六意識〉がそれについて判断を下す、〈第八阿頼耶識〉がそれらの行為を〈熏習〉していくという受身的な流れの面を重点的にみてきたわけです。

しかし、その中でもすでに触れざるをえなかったように、私たちのこころの働きは、受身なら受身という一方向のみで捉えうるものではありませんでした。受身の中に能動があり、能動の中に受身も働いている。そういう複雑に交錯した関係を包蔵するのが、こころの実態であるといわねばなりませんでした。

ほんとうは、そういうように、受身的側面とか能動的方向とか、はっきり分けて考えることは不自然でもありますし、事実に即さない点もあるのですが、この章では、能動の面に重点をおいてこころの実態を見ていこうと思います。

八四ページの表のように、こころには、二種の番号がつけられています。一つは、眼識を第一として、阿頼耶識を第八とする番号です。これは表層より深層への方向でした。深いこころの層への深まりの方向です。

それに対して、もう一つ、今度は底から上に向かって〈初能変〉〈第二能変〉〈第三能変〉と呼ばれる順序がありました。表層から深層へという方向でいけば一番最後の〈第八阿頼耶識〉が〈初能変〉とか〈第一能変〉と呼ばれます。上からいけば第七番目の〈末那識〉が〈第二能変〉。第一から第六までがまとめて〈第三能変〉と、上から底へという順序とは逆の番号で呼ばれています。

これは何を表わそうとするのか。

これが、こころの能動性の一面であります。

何度もくりかえしますように、受動と能動とは截然と二つに分かれているわけではありません。渾然一体となった人間のこころの働きですが、それをあえて二つの角度に分けて理解していこうとするのです。

1　深層の自己の能動性――〈初能変〉

存在が認識を規制する

まず〈初能変〉。

〈初能変〉とは、存在が認識を規制してくる、その人の存在のありようを超えた認識を人間は持ちえない、存在の様態によって認識が変えられる、そういう人間の実態を明確にしたものです。

〈初能変〉は〈阿頼耶識〉です。深層の自己です。自己の行為のすべてを〈熏習〉し保持していくのが、それが〈阿頼耶識〉でした。過去の集積としての自己――その自己が、自己や自己の認識を制約し限定し変えていく、それが〈初能変〉という角度で表わされる人間の実態です。

自分がどのような過去を集積してきたか、それがその人の見たり聞いたりする世界をきめてくるのです。「坊主憎けりゃ袈裟まで憎い」といいますが、坊さんに対して悪い印象を持ったことがあると、坊さんの着ている袈裟まで憎くみえてきます。袈裟は、布切れで作られたものですから、別段憎む必要はない。よく考えてみれば、実はそうであるのに、坊さんを憎むと、袈裟までそうみえてくる。逆に、憧れている人の名前は、多くの新聞の活字の中から特別大きく眼にとびこんでくる。

私たちは、なんとなく、みなが同じようなものを見ているように思っていますが、どうもそうではなく、一人ひとりが別々の世界を持っているのではないのか。四十億の人が地上に住んでおれば、四十億の顔があるように四十億のこころの世界があるのではないのか。

つまり、存在のありかたが世界を変えていく、そういう一面を指摘しようとするのが〈初能変〉だと思います。

〈能変〉という語は、〈所変〉という語に対応し、〈能変の識〉〈所変の境〉といいます。「能動的に変えていく」それがこころだという意味です。〈境〉のほうは、「こころによって変えられる」という受動性の一面ですから〈所変〉といい、こころのほうは「能動的に変えていく」という能動態で捉えられていることになります。

この〈能変〉という語は、原語パリナーマを翻訳した語で、しかも〈能変〉と訳したのは玄奘でした。パリナーマという語には、玄奘の訳したように、〈所〉に対する〈能〉のような能動的・積極的意味は少なく、〈転変〉つまり変化するという程度に解するほうがよいともいわれるのですが、玄奘もそのあたりの事情は十分承知のうえで翻訳したものでありましょうから、なんらかの目的があったのだろうと思います。

境を〈所変の境〉とするならば、識のほうは〈能変の識〉というほうが対応するわけで、それにはそれなりの意味を見出すことも決して徒労ではあるまいと思います。

私たちのこころは、能動的に世界を変えています。自分の存在のありようによって、客観世界が決められています。

それが〈能変〉としての人間把握であり、〈初能変〉の意味でありましょう。

〈阿頼耶識〉のちがいによって世界が変わる

私たちのこころが、能動的に世界を変えるというのはどういうことでしょうか。

外界に在るものが、人間のこころで変わっていくものか。

ここが唯識のわかりにくいところであり、また誤解されるところでもあります。

ものは私たちのこころなどとは無関係に存在している、こころによって変えられるなどということがありうることなのか。

私たちは、前にある机や本や花瓶や庭の木や遠くの山や、それらのものをみんな誰もが同じように見、みんな共通の世界に住んでいると思っています。目に見えているものや、耳に聞こえていること、手にさわること、みんな同じように見たり聞いたりさわったりしていると思っています。それについて、あらためて考えてみることもありませんし、反省することもありません。

自分の見ている富士山と、隣りの人の見ている富士山とがちがっているとは考えません。

しかし、それはほんとうなのか。ほんとうにみんなが同じ山を見ているのか。

唯識では、みんなが別々の山を見ているというのです。

富士山に登ったことのある人と、登ったことのない人との富士山の見えかたはちがっていましょう。富士山で怪我をした人のみる山と、たまたまそこで出会った人と結婚をした夫婦のみる山とが同じであるとはいえますまい。頂上の観測所で冬を越した所員たちの富士は、またまるっきりちがうのではないでしょうか。

「あばたも笑くぼ」といいますが、恋に燃えてしまうと「あばた」がかわいい笑くぼに見えてくる。それは、「あばた」という認識がまずあって、それが、「笑くぼ」に見えるのではない。最初から「笑くぼ」なのです。「あばた」が「笑くぼ」に見えるのではなく、「笑くぼ」しか見えないのです。「笑くぼ」しか存在しないのです。

恋するという深奥のこころが、おのずからそうさせるのです。恋がさめれば凹凸にすぎぬ皮膚の傷が、恋というこころによってかわいい笑くぼに変えられてしまう。

それは、対象の変化ではなく、見る側のこころのちがいによるといわざるをえません。自分の〈意識〉を超えたもう一つ深いこころのちがいによって、おのずからそうなるのです。

それは〈阿頼耶識〉のちがいによって世界が変わるということです。

恋心があるから、あばたがあばたと見えず、美的に変えられて笑くぼになる。

こっちのこころが外界を見ているのではなく、こっちのこころの影が外界を変えているのです。

若いころ、私は数年間高校の定時制夜間部に勤めたことがありました。生徒の中には戦争のために学校に行けなかった人たちがたくさんいました。新しい教育を受けるためにやってきているのです。会社に行けばかなりの地位にある人や、新前教師の私よりはるかに年上の生徒さんなどがたくさんいて、とても楽しい学校でしたが、その中に病気のために、七、八年おくれて入学した女生徒がありました。年齢は教師の私とほとんど変わらぬのです。その彼女が、入学式が終わって教室に入って坐ったとたん涙がとめどもなく流れて仕方がありませんでした、と後年話してくれました。長い間高校に行きたかったのです。高校の教室に何年も何年も憧れつづけてきたのです。それがようやくはたされた。彼女の目にうつる黒板は感動的なものであったのです。

黒板を見て涙が出る。それだけの感動をもってはたして何人の人が黒板を見るでしょうか。彼女のみた黒板と、私たちのみる黒板とが同じものだとはたしていえるのでありましょうか。

そのちがいの原点はどこにあるのか。それを唯識は〈阿頼耶識〉のちがいとして捉えるのです。〈阿頼耶識〉とは存在の個を表わすものといえるでありましょう。

〈阿頼耶識〉の中に蓄積されているものが豊かであれば、その人の世界は豊かにふくらみます。絵の美しさを知らぬ人――つまり、その経験を〈熏習〉していない人には、絵の美は浮かびあがってこない。音楽のすばらしさや、香りの品位を〈阿頼耶識〉の中に保持していない人には、そこにどんなにすばらしい絵や音楽や名香が在っても猫に小判にすぎません。認識の対象にはならないのです。

そういう点で、〈阿頼耶識〉は、個の原点だといえます。しかし、むろん、それは個のみの原点ではありません。人間の共通性という面も持っているのは当然です。

昔も今も人間は変わらない。仏陀の教説が、現代人に意味があるのも、人間は変わらないという普遍的な厳然たる事実があるからです。二千五百年も昔の仏陀の言葉が、なぜ私たちの胸につきささってくるのか。そこに人間の底にある共通性が一貫しているからです。日本人にも、アメリカ人にも、フランス人にも理解されるのは、人間は変わらないという真実が一面にあるからであり、〈阿頼耶識〉は当然その面の役割をもはたすものといわざるをえません。

十分、共通性の面を了解したうえで、なおかつ唯識は、〈阿頼耶識〉が個の原点だということを強調するのです。

それは、私たちは無意識の裡に、みなお互い同士、共通の大地に住み、共通のものを見、共通の思考を持っていると信じている点があるからです。富士山を見ながら、自分の見る富士山と、隣りの人の見る富士山とはちがうなどという反省は、まずふつうの人はしないものだからです。

だから、唯識は、認識の構造を掘りさげ、認識の底に、存在の状態が決定的な力をもっていることを指摘し強調したのでした。

「一水四見」の譬喩

世親の『倶舎論』に、「一水四見」という譬喩が出てくるのですが、それは存在の様態によって、私たちが水と呼んでいるものも、他の存在にとっては、かならずしもそうばかりではないということを語るものです。人間は「水」を「水」と見、飲んだり、庭先きの石にまいたりするものとだけ考えています。「水」をそれ以外のものとして見ることはできません。草の葉についた朝露を、水晶のようだなどと表現しますけれども、「水」は「水」です。しかし、天人たちには、「水」は「瑠璃（るり）」（宝石）と見え、魚には住み家と見える。地獄の衆生には「膿血」としか見えぬというのです。これが、「一水四見」の譬喩です。天人とか地獄の衆生などになると、ちょっと想像がつきませんが、魚ならばけんとうがつきます。魚にとっては、「水」はやはり住む場所以外の何ものでもなく、のどが渇いたから飲むものだとか、庭先きの打ち水に使おうなどと、絶対思いもつかぬものです。

そう見えるのは、そう見ようと思ってそうなっているわけではありません。自分の存在の状態、人間とか魚とかいうような存在の様相によって、おのずからそう見えるのです。

この譬喩は、ふつう考えてもみず疑うこともしない私たち自身の認識の構造を、存在の状態という次元にまで掘り下げ人間を離れた立場にまで広げて根本的に考察しようとしているもので、見事というほかはありません。

存在そのもののありようによって、まず世界が変わる——〈初能変〉とは、その一面を示すものです。〈阿頼耶識〉に何を蓄積し、どのように存在しているかによって、対象世界が様相を変えるのであります。

おのずから変わる――〈因縁変〉

〈阿頼耶識〉の蓄積した〈種子〉のいかんによってその状態が変わり、それによって自然に認識の内容が変わっていく、そういう変わりかたを〈因縁変〉といいます。水が水に見えるのは努力してそう見ているのではなく、人間という存在の状態が、おのずからそう見せるのですし、魚が、住む場所と見るのも、魚という存在の様態から、おのずから決定されてくる認識の内容にほかなりません。

ことさらに、誰かが、そうしようとして、そうなっているのではないわけです。

認識と存在とが、不可分のものとして結びつけられているわけで、それが〈阿頼耶識〉を〈初能変〉とするゆえんでありましょう。

自分の根底が豊かであれば世界も豊かになります。おのれの深層が貧しければ、認識の領域も貧しくなります。

仏法を聞くことが、多ければ多いほど、深ければ深いほど、知識が豊富になるのではありません。自分や自分の持つ世界が豊かになるのです。

それが〈初能変〉です。

秋の月が悲しく見えるのも、よろこびに満ちて見えるのも、故意にそうするのではなく、おのずからそうなるのです。そうした「おのずから」の力のうえに私たちは生きています。

好き嫌いとか、趣味嗜好などというのも、唯識的にいえば、〈阿頼耶識〉の発露というべきでしょう。

なぜ好きなのか、と問われても答えることはできない。好きなものを嫌いになりなさいといわれても、なれるものではありません。自然にそうなのです。

前章で、〈阿頼耶識〉は〈種子〉を〈薫習〉するといいました。経験の集積です。その点では、過去との関係のうえの理解であったともいえるでありましょう。受身的な一面でした。

それに対して、「あばた」を「笑くぼ」に変えていくというこの一面は、未来に向かった能動的な一面です。そういう一面を、〈種子識〉と呼ぶ、これは前章でみた通りです。

〈薫習〉されている〈種子〉が、能動的・積極的に働くという面を強調したものでありましょう。それが、〈種子〉が〈現行（げんぎょう）〉を生じるということです。〈種子生現行〉です。

こころの中に潜在しているものが対象として現われ、それをこころが見るといってよいでありましょう。恋心が、笑くぼを浮かばせ、それを自分のこころが見る。人間の認識とは所詮そういうものではないのか。

自分の描いた幻想に狂ったりうつつをぬかしているのではないのか。

自分の見聞している世界は、過去の集積としてのおのれのこころの映像であり、その映像を真実の対象と信じ込み、そこに喜怒哀楽の人生をくりひろげているのではないのか。

〈阿頼耶識〉は、過去の集積としての今日の自己でありました。過去を背負った今日の自己の存在です。「総報の果体」としての全自己です。

その全自己において、私たちは私たちの世界を展開しているのです。

その人が、何を見、何を聞き、何を考えて生きているのか。そこにその人の表裏のすべてがあらわに立ち現われているといってよいでありましょう。

「三界唯心」「万法唯識」「万法不離識」などの語は、そういうことをいうのでありましょう。「三界」も「万法」も私たちの住んでいる世界です。それがみな、私たちのこころの現われだ、私たちのこころと離れたものではないというのであります。

〈阿頼耶識〉は、見えている世界を変えるばかりではありません。「あばたも笑くぼ」の例のように、そこにありもしないものまで自分の都合で作りあげてしまう、そういう性質さえ持っています。

経典の中に出てくる有名な例ですが、「蛇縄麻（だじょうま）の譬喩（ひゆ）」というのがあります。夜道を歩いていると、そこに縄が落ちていました。歩いているほうはおっかなびっくり歩いていますので、とっさに「蛇だ！」とびっくりしてとびさがってしまいます。蛇がいなければよいがという不安感や恐怖感が潜在的にあって、縄の切れはしを蛇に見せてしまったのです。よくよくみれば、なんの変わりばえもしない麻で作った縄なのですが、とびさがった瞬間、意識に映っているのは、完全に蛇です。あとで冷静にみるから、なんだ麻縄かというだけのことであって、みたその瞬間には「蛇」以外の何ものでもなかったわけです。

そういう現象——勝手に作りあげた虚像に自分がおどろいたりおそれたり、疑ったり憤慨したりする。そういう人間模様は無数にあるといってもよいでありましょう。ありもしないものまで、〈阿頼耶識〉は作り変えていくのであります。

このいい例が、シェークスピアの『オセロ』でしょう。側近のイャゴーにそそのかされて、オセロは、最愛の貞淑な妻デスデモーナを疑いはじめます。他の男を愛しているというのです。ひとたび疑いはじめると、妻のすることなすこと、ありとあらゆる行為が、不貞を隠すための言動としてしか見えなくなります。窓辺に立って夫の愛の変化を嘆いておると、オセロには他の男を恋い慕っているとしか見えない。夫に貞淑を誓えば誓うほど不貞の糊塗にしか見えない。一度思い込むと人間というものは、自分で虚像を拡大し膨張させていくものであるようです。自分がそうしようとしているのではないのです。おのずから、自然にそうなってしまう。

この章の扉の図を見て下さい。真中に真白い三角形が見えませんか。しかしよく見ると、その三角形はありません。切れた直線と切り込みのある黒い円との配列で、真白い三角形を私たちが勝手に描いているだけです。そうするのが一番自然だからでしょう。

まことに〈因縁変〉なのです。

〈阿頼耶識〉の能変性の一面でありましょう。

それでは、過去の蓄積である〈種子〉のいかんによって、私たちの認識は、現在も未来も完全に支配されていて、それから逃れることはできないのか。私たちは新しい対象を見ることはできないのか。それに応えようとするのが、のちの修行論であり、〈種子〉の面でいえば〈本有種子〉説でありましょう。〈本有種子〉によって、飛躍が可能であり、新しい認識の領域が広がるのです。

〈新熏種子〉は、私たちの現在の行為によって、新しく熏習される種子でした。

私たちの現在の行為は、つっこんで考えれば過去に完全に規定されているといえます。過去の集積としての私が、現在の行為をおこすのですから過去の拘束を完全に離れた現在はありません。どんなに熏習を積み重ねていっても、過去の〈種子〉を踏まえての熏習ですから、ますます一つの方向が増大するだけでありましょう。「無始の時よりこのかたの虚妄熏習」というようないいかたが唯識の本の中にしばしば出てきますが、無限に重ねられていく人間の行為の迷妄を示すものでありましょう。その一つの方向に進む惰力を、つきかえす力、それをどこにみつけたのか。唯識は、それを〈本有種子〉に求めたのでした。先天的・先験的に具備する人間の可能性であります。

〈本有種子〉は、それこそ、人間の限界を示すものでもありますが、同時に惰性をくつがえす潜在する可能性でもあるわけです。そういう力を、本来人間は持っています。そういう角度から、無始の時より積み重ねてきた一つの方向を転換する力を探りあてようとしたのでした。

〈阿頼耶識〉の対象

〈前五識〉には、それぞれ別々の対象がありました。〈眼識〉には〈色境〉、〈耳識〉には〈声境〉など一つひとつ対象がきまっていましたが、能変識としての〈第八阿頼耶識〉の対象はなんでありましょうか。何に対して能動的に働きかけ、変貌させるのか。

唯識は、それを〈種子〉と〈有根身(うこんじん)〉と〈器界(きかい)〉だといいます。

つまり、私たちは深い意識の底で〈種子〉＝経験と、〈有根身〉＝身体と、〈器界〉＝環境世界を対象として無意識裡にそれに働きかけて生きているというのです。

私たちは、自分自身の生きているということについて、一つの感覚を持っています。内的感覚とでもいうのでしょうか。病気や怪我の時にはむろん痛いから肉体を意識しますが、健康な時にも、それほど強烈なものでなく、また感動的なものでもないのですが、じっとふりかえってみると、自分の身体への「生きている」という実感を持つことがあります。

スポーツのあとの、あのさわやかな感動なども、唯識的にいえば、〈阿頼耶識〉が〈有根身〉を対象として働いている実感かもしれません。

〈阿頼耶識〉の対象の第二は、〈種子(しゅうじ)〉です。〈種子〉を対象として〈阿頼耶識〉が働きかけている。〈種子〉は過去との関係でいえば「経験」、未来との関係でいえば「可能性」とでもいっておけばよいのでしょうか。〈阿頼耶識〉はそれを対象としているということは、それに依りかかりそれに依存し、そしてそれに拘束されているということです。

しかも、知らず知らずにです。深いこころの底においてです。

私たちは、自分の経験を頼りにします。考えてみれば、それしか自分と呼ぶべきものはないからです。自分が築きあげてきたもの、自分の積み重ねてきた経験、自分がたどってきた道、それだけが自分です。ですから、ものを一つ考えるにしても、行動一つ起こすにしても、過去の蓄積に頼るしかない。内蔵しないものは見当もつきません。本一冊読むにしても、本さえあれば誰でもいつでも読めるというわけにいくものではありません。私なども、自然科学や経済学や、いままであまり読んだことのない本は、読もうとしてみても手につきません。過去の蓄積が今日の自分を規定しているのです。未来に向かっても、その現在が踏み台になるのであって、過去が現在を規定し、現在が未来を創造していく。それが人間存在の本質だというのが〈阿頼耶識〉は〈種子〉を所縁とするという教説でありましょう。

〈阿頼耶識〉の対象の第三は、「器界」です。これがなかなかわかりません。〈器界〉とは、器物・物質のことですから、ちょっと考えてみると、私たちがものを対象とするということは、こころを考える時にそれほど特別な問題とはいえません。こころが対象を捉えるのです。

ところが、ものを認識するのは〈前五識〉ではなかったのか。色彩を見るのは〈眼識〉であり、声を聞くのは〈耳識〉でありました。みなものの認識です。その〈前五識〉の認識と〈阿頼耶識〉の認識とは、どういう関係にあるのか。

これが一つの疑問になります。

たしかに、本・机・山・川などを直接見るのは〈眼識〉です。では、〈阿頼耶識〉がそれらのものを対象とするとはどういうことなのでしょうか。それは、「私」という存在の対象として「私」の世界内にそれが対象として浮きあがってくるということです。対象として立ち現われるといってもよいでありましょう。

今日までの過去を積みあげた私、その私の住んでいる世界は、私の〈阿頼耶識〉の中に組み込まれたものであり、組み込まれたものでないものは、認識の対象にはならない。対象として浮きあがってこない。

「過去の集積の自分」というのは、自分独特の経験を持ち、独特の考え方や見かた、感じかたなどを持ち、興味や関心や好みなどを総合してひそめているのが具体的な今日の自分です。

〈眼識〉が働いておりさえすればなんでも見えるのではない。自己存在の一番根底において、過去の総体が結集して無意識のうちに対象として選びとったもの、それだけがはじめて対象として〈前五識〉によって認識されるのです。

同じ本を読んでも、人によって印象に残るところがちがいます。いっしょに映画を見ても、あとで話しあってみると、憶えている光景がずいぶんちがっています。

もしも、ものが同じように存在し、同じように〈眼識〉が働くならば、同じ対象が見えるはずであるのに、そうならぬのは、その人の今日までの集積された自己——〈阿頼耶識〉のちがいによるといわざるをえません。

本屋に行ってみても、興味のある本は目につきますが、無関心な分野の本は、まるっきり目に入らない。自分の住む客観的なものの世界を自分が主観的に変えている、作りあげているのです。しかも、それは、自分がそうしようとしてなっているのではなく、おのずからそうなっているのですからこわいのです。

私たちは深い意識の底で、一つの価値づけや意味づけをおこなっています。それによって無意識裡にまず自分の認識の対象の中に組み込む。そこに組み込まれたものが、あらためて認識の対象となります。こういうことがあるのではないでしょうか。

黒板を見て涙を流した生徒は、黒板を見て、ああこれが高校の黒板だという認識をするわけですが、そのもう一つ前の段階として、「黒板」が「黒板」として見られているという認識があるはずです。さきほどの「一水四見」ではありませんが、教室に犬が一匹まぎれこんできても、その犬には「黒板」という認識はありえないはずですから、壁にかかった黒い板はどんな意味も持たないでしょう。犬にとっては、ふつうの壁とちがった意味はまったくありえないわけです。

ユクスキュウルという生物学者の『生物から見た世界』（思索社）というのは、この「一水四見」の現代版ともいうべき面白い本ですが、その最初に、哺乳動物が下を通るのを何年間でも木の枝で待ちつづけるダニの話が出ています。そのダニには外界の情報をキャッチする器官は、哺乳動物の体温を知るだけのものだといわれます。あとは何もないわけですから、せっかく地上にいながら、光も音もまったくない世界に生きているわけです。

犬は色彩を見分けられないといいますから、同じ道を散歩しながら、私たちとは別の光景を眺めているのでありましょう。そのかわりにおいのほうは、私たちには想像のつかない広い微妙な世界があるはずです。そこに一つの価値づけがあるはずです。自分の勢力圏には、自分のにおいをしみこませておく。においで自分の縄張りを主張する。そういう世界は、私たち人間にはまったく知ることも想像することも不可能な世界です。

〈器界〉＝ものは、ふつう私たちの存在とは無関係に私たちの外に存在し、私たちは、それをみなが同じように認識したり利用したりしている、と思い込んでいますが、〈阿頼耶識〉の対象の一つは〈器界〉だという把握は、それに真正面から疑問を投げかけ、存在の様相のちがいによって、ものの世界まで実は変わるのだという認識の深い真理を捉えようとしているものといえましょう。

「見る」という表面的な行為が、実はその人の全存在にかかわるものだ、奥底まで関係しているものだ――そういうのが〈初能変〉であり、〈阿頼耶識〉の対象の投げかけてくる問題であります。

2 自我意識の歪曲――〈第二能変〉

私たちは、自分の集積した過去によって、今日の自己や認識領域をきめられている。これが〈初能変〉でありました。

〈第二能変〉は、その上にある利己性、自己中心性、自我意識など、いろいろの呼びかたがあるでしょうが、仏教でいう〈我(が)〉への拘泥が、さらに認識の範囲を狭めたり歪曲したり、行動を局限させているというものです。

具体的には、〈第七末那識〉です。

利己性のこころ――〈第七末那識〉

〈初能変〉で、私たちの過去の蓄積によって認識を限定していることを見たわけですが、〈第二能変〉は、利己性によって、さらにその認識の枠が狭められゆがめられているというのです。その人の蓄積した過去によって、まず限定され、その上に自己中心的〈第二能変〉によって、もう一度曲げられていく。二重の歪曲が私たちの世界である。これが、〈初能変〉〈第二能変〉のつきつけてくる人間の相(すがた)であります。

〈末那(まな)〉とは、「思いはかる」という意味のマナスの音写語です。つまり、「思いはかる」「考えをめぐらす」こころということです。

「思いはかる」とか「考えをめぐらす」というのは、何を思いはかり、どのように考えをめぐらすのかというと、それは〈自分〉に都合のよいようにです。自分の都合のよいように、自分を軸にして、自分の立場で、ものを見たり考えたり判断を下す。そういう働きのこころです。

人間は一皮むいてみると、誰しも多かれ少なかれそんなものかもしれませんが、〈末那識〉の特徴は、それほど強い力を持つものではないにもかかわらず、潜在的に連続して働き、人間の思考や認識や行動を支配しつづけることにあります。

自我意識とか、我を張るとかいう場合には、かなり強烈な能動性を持ち、相手にも強い印象を与えるものですが、〈末那識〉のやっかいなのは、微細な動きであって気がつかぬ深みでいつも働いている点にあります。

それを「恒審思量（ごうしんしりょう）」といいます。

我（が）の意識ですから、自己顕示欲になったり自我主張になったり、高慢とか驕傲になったりしますが、いつも働くというのがくせものなのです。悪いことをする時に、そういう気持が働くのはあたりまえでしょう。〈我（が）〉がひそんでいるものです。しかし、善いことをする時にはそんなことはないと思っています。ところがそんな時にも、休まず働いているというのです。

「恒」とは「つねに」、「審」は「こまやかに」という意味ですので、気のつかないところでいつもひそかに働いているということです。善いことをする時には、自分自身は、善意にみちているつもりですが、唯識の人間観察では、そういう善意の底にも知らず知らず〈我意〉が働いている、〈我意〉によって、対象を自分に好都合に変えていく、そういう働きがある、それが〈末那識〉だというのです。私たちの行為や精神がなかなか純粋に美しくならないのは、この〈末那識〉がひそんでいるからです。

善意の底に〈末那識〉があって、〈我意〉で善意を汚していく。そこを軸にして、ものを考え行動をおこす――〈第二能変〉たるゆえんです。

〈初能変〉で局限された認識世界が、ここでまた大きく自己中心的に視野を狭められていくわけです。悪ほど強くはない。しかし知らず知らずのうちに人を汚していく。それを〈有覆無記〉といいます。〈阿頼耶識〉が〈無覆無記〉であったのと対照的です。

諸仏・諸菩薩と私たちとのもっとも大きなもっとも根本的なちがいは、この〈末那識〉＝〈第二能変〉のちがいでありましょう。

私たちには、どこかに〈我〉がひっかかっている。清冽な渓流のようにさわやかでない。

諸仏・諸菩薩はそこがちがうのです。

前章で、〈末那識〉は能動性が強いから、あとで触れようと述べたのはそのことです。〈末那識〉は、外から入ってくる情報も、そのまま通しません。〈前五識〉→〈第六意識〉と受け入れられてきた情報は、ここで、とにかく、〈我〉のフィルターにかけられ、〈我〉の着色がおこなわれるわけです。

その点が、受身的な働きの場合にも、能動的性格が非常に強いといわざるをえないところです。自己中心的に着色し、歪曲して、いわば〈我〉的に都合よく組みかえたものを、底の〈阿頼耶識〉に〈熏習〉していくわけです。

能動性の強いこころの働きのように思われます。

〈末那識〉の五つの働き

さて、このこころには、非常に大切な作用＝〈心所〉が五つあります。唯識は、こころを主体的な

〈心王〉とその作用面である〈心所〉とに分けるということを八二ページに書きました。そう書きながら、話は〈心王〉のことに限り、〈心所〉についてはまったく触れておりません。〈心所〉は五十一も分析されていますので、それを一つひとつていねいに見ていくと思いがけぬ分量を必要とすることになりますので、その全部について触れる余裕はありませんが、この〈末那識〉＝〈第二能変〉については、どうしても関係深い五つの〈心所〉を無視するわけにいかないようです。五つの〈心所〉がそのまま〈末那識〉の全体像といってもよいくらいの重要な意味を持っているからです。

　ほんとうは——唯識の伝統的学説をそのまま正確にとりあげると、〈末那識〉といっしょに働く〈心所〉は、十八あるといわれます。しかし、その中で〈末那識〉をもっとも〈末那識〉らしく特徴づけるのは次の五つの〈心所〉ですので、それについてのみみておこうと思います。

　五つの〈心所〉とは、〈我癡〉〈我見〉〈我慢〉〈我愛〉と〈慧〉です。

　その中、前の四つは、〈四煩悩〉といわれ、自己に対して無知であるために〈我〉を誤認したり、他人に対して驕慢であったりするやっかいな働きです。

　〈我癡〉とは、自分の実態を知らないことです。自分が大きな力に支えられていること、刻々に移り変わっている自己であること、仏教の言葉でいえば、空・無我の自己、あるいは因縁所生、五蘊仮和合の自己であること、そういう自己の真相に覚醒していないことです。つまり、ほんとうの自分を知らないのです。

　それが根元にあるから、自分の見識にこだわる、自分の主義主張のみを絶対視して、謙虚に人の主張を聞かぬ〈我見〉が生じ、人に対して驕りたかぶる〈我慢〉を生みます。そして、自分で勝手に描きあげた虚像の自我像を、ひたすら愛しつづける〈我愛〉が一貫して潜行するのであります。

『唯識三十頌』には、〈末那識〉は「四煩悩と常に倶なり」といわれています。

つまり、自分の実態への深い自覚を持たないで、勝手な思いあがりに驕りながら周囲を変えていくのです。

なんでも〈我〉を張ってみたり、対抗意識を持つ必要もないのにそれを持ってみたり、なんでも相手と自分を比べて威張ってみる、理由もないのにそういう思いを持つ、そういう思いでわざわざ不必要な波瀾をおこす。それが私たちの実態です。

〈四煩悩〉に共通するのは〈我〉であります。おのれへのこだわりです。

そして、〈四煩悩〉と並んでもう一つ大切なのが〈慧〉の心所です。〈慧〉とは「簡択」の義といわれますが、対象を「えらびわける」こころの働きです。「えらびわける」という働きですから〈慧〉は、むろん私たちの知性活動とともに広くいろいろな場面に働くこころです。

仏陀の教えの中で、〈智慧〉の占める比重は非常に大きいのですが、〈慧〉はその根幹の働きですから、私たちの生活の中で重要な役割をはたしていることはいうまでもありません。

ものを分析・分類する科学的研究の分野にも、善悪正邪を判断する倫理的価値判断にも、唯識的ないいかたをすれば、基本にあるのは〈慧〉のこころの働きでありましょう。

ところが、その〈慧〉が〈末那識〉といっしょになって働くというのです。

〈末那識〉といっしょになって、何をえらびわけるのか。

いうまでもなく、自分と他人とを、はっきりえらびわけるのです。

「これは自分」「これは得になるもの」「これは他人のことで、自分には利益にはならぬもの」「これはいまは損でも将来得になるからしておくほうがよいもの」「それは最終的には得にならぬからやめたほうがよいもの」などと、こころの中で、自分を尺度としてつぎつぎとえらびわけていく働きです。

自他をえらびわける。自他をはっきりさせて、自分の得をえらびとるのです。しかも大事なことは、それが深層のもので、また常時働いているということでしょう。

自分で自覚できる心的領域のことであるならば、あんまりみっともないことはしない。自己嫌悪感が働くから自戒もするでしょう。が、自分で気づかない、自分では結構善意にみちていると信じ込んでいる時にも、正義感にもえている時にも、この〈第二能変〉＝〈末那識〉は暗黙のうちに働いて、自分の利益を計算しているというのです。

その眼でものを見る、その眼でものを考える。その計算高い眼で自分の行動をえらび分けていく。そういう利己的人間性の抉出が〈第二能変〉です。

残念ながら、人間の真実の一面が鋭く映し出されておるように思われてなりません。

無意識裡の自我愛。

それが、〈末那識〉の能変の作用です。

人間というものは、ずいぶん勝手なもので、自分が自動車に乗っていると、歩いている人や、自転車で走っている人が邪魔になります。ところが、自分が歩いたり自転車に乗ったりしていると、逆に自動車が邪魔になります。

自分を軸にして、世の中を見ているということでしょう。


菩薩の重要な修行に〈六波羅蜜〉というのがあります。唯識の修行の徳目の一つでもありますが、その最初は〈布施波羅蜜〉です。〈布施〉とは、「ものを与える」こと、「ものを分かちあう」ことで、これが修行の第一番目にあげられているわけです。

ものを分かちあう、ものを人にさしあげる、なぜそんなことが修行の第一歩なのか。これがなかなかできないからです。潜在する利己性に汚されて、非常に難しいのです。分かちあうことやさしあげることはできないわけではありませんが、きれいに分かちあったり、さしあげたりすることが難しいのです。無意識のうちに、おのれの損得都合を計算している。最後には損をしないように計算している。計算の〈布施〉であったり、媚び諂いの贈物であったり、恵み施す高慢な善行であったり、売名や自己宣伝であったり、私たちには、なかなかきれいな〈布施行〉はできないものです。

菩薩の〈布施〉は、三輪（布施をする人、布施するもの、布施を受ける人）清浄といって、その三者の間になんのこだわりも執著もなく美しいといわれます。私たちはそれがなかなかできません。

それは、〈末那識〉〈第二能変〉がひそんでいるからです。自分の意識では、一生懸命きれいな〈布施〉をしようとしているにもかかわらず、〈末那識〉が知らず知らず深層からそれを汚していくのです。

美しくきれいに、ものを分かちあうことができるかどうか、その修行が〈布施波羅蜜〉であり、それがまず修行の第一歩である。それは、自己中心性の浄化の修行であるといえるのでありましょう。

〈初能変〉は、過去の集積としての自己の存在でした。その存在が認識領域を決め、世界を変えていました。人間には人間の世界があり、私には私の世界があります。

〈第二能変〉は、〈初能変〉で局限された世界を、さらに利己的に自分を軸として歪曲し狭窄している人間の実態を捉えたものといえます。〈初能変〉〈第二能変〉と二重の層をなして人は曲折した世界に住んでいる、唯識はそう指摘しているのです。

〈末那識〉の対象

ところで、〈末那識〉の〈所縁〉＝対象はなんでしょうか。ここにも、自我意識・利己性などという人間の一面をえぐり出しています。

〈眼識〉の対象は色彩でした。〈第六意識〉は一切諸法を対象としました。〈末那識〉は何を対象とするのでしょうか。〈末那識〉が対象とするのは、〈第八阿頼耶識〉です。

実に〈末那識〉が所縁とするのは、自己そのものであります。自己のみを対象とするのです。それ以外には一切眼が向かない。自己のみ、ただ自己のみ、ただひたすら自己のみに集中する**こころ**です。

ところで仏陀の教えは、自己をあきらかにするのを目標としたものです。自己をみつめ自己を求めていくものです。もしそうだとすると、〈末那識〉の方向は、仏教の本義にのっとるものではないかとも考えられます。

しかし、どうも基本がちがうようです。〈末那識〉の場合は、利害損得の計算によって働いているのであって、自己の真相への透徹した眼はないといえるのではありますまいか。透徹した眼でみるのでなく利己性のフィルターによって、勝手に着色して、その誤認を自覚しないとでもいってよいでありましょう。

さて〈末那識〉の所縁ですが、正確には「阿頼耶識の見分」だといいます。〈見分〉についてはのちに触れますので、説明はそちらにまわすとして、私は「生の最先端」といっておくことにしています。人間は、何かを対象とし、その対象に対して働きかけながら生きている、これが唯識の人間認識です。その働きかけている最先端が〈見分〉であり、〈末那識〉が対象として愛着し拘泥しつづけるのも、その〈阿頼耶識〉の〈見分〉であるのです。一番根底の自己の暴流のように働きつづける、そのおのれを愛し、実体的自己と誤認していくのです。

〈阿頼耶識〉というのは暴流のような自己でした。一刻も停止することなく激しい流れのように活動しつづけている自分です。

ところが、〈末那識〉はその暴流のような自分を、ありのままに率直に見ないのです。見たくないというべきかもしれません。人間は安定を求めるから、暴流のような自分に不安を感じるのです。何かにすがろうとする。『阿含経』に、激流に流される人間が、必死になって岸の草につかまろうとする、しかし、ようやくつかんだ草もろともに流され波間にのみこまれていく、という短い話が収録されていますが、安定を求める人間のもがく姿が見事に捉えられているといえるではありませんか。〈末那識〉は、その激流のような自分の真相に眼をつぶって、むしろ常住不変の自我像を構築し、その虚像に愛着を抱き拘泥しつづけるのです。

ほんとうの自分を知るのがこわいのです。

私たちも、身体の具合の悪い時に、そういうジレンマに陥ることがあります。具合が悪いのですから、さっさと病院にいけばよいのです。そう自分でも思いながら、病気を宣言されるのがこわい。自分のいまの病状を知るのがこわく、一日のばしにのばしてしまいます。自分に都合のよいことは、すすんで知ろうともし、知れば宣伝もしたがりますが、そうでないものは眼をそむけようとしたり避けようとし、自分勝手な願いを投影しようとする。

ちょうどそういう働きをするのが〈末那識〉です。

〈末那識〉＝〈第二能変〉を、独立的に組織化したのは世親でした。無着の『摂大乗論』では、〈阿頼耶識〉の一面としての性格が強く、まだはっきりとした位置は与えられていません。

先人たちの心血をそそいだこころの探求が〈第二能変〉を定立していったのでありましょう。眼をそむけようとしてもついに避けられない我執の根元をここに発見したのです。〈阿頼耶識〉の一部の働きでもなく、〈第六意識〉でもなく、〈第七末那識〉を独立の識作用として別に定立せざるをえなかったのであります。

利己的エネルギーの転換

〈第二能変〉＝〈末那識〉のすばらしいのは、その利己的エネルギーが、ガラッと変わって、慈愛の根元となることです。悪がそのまま善となるところにあります。

考えてみれば利己性とは、悪いことばかりしているわけではありません。自己自身の向上にしても、文化の発展にしても、意外と利己性が根元になっているものが多いのではないでしょうか。「負けてなるものか」という対抗意識がばねになって前進することが決して少なくありません。

〈末那識〉の教説は、そのエネルギーを大きく転換させていくもののようです。

私たち凡人の〈末那識〉は、自己のみを愛着しつづけます。それ以外には眼が向かない、それが〈末那識〉でした。

その〈末那識〉が修行によって、真理と存在の平等性と、そして無我なる真実の自己の真相に覚醒するのです。

その瞬間、自己のみに狭くそそがれていた眼が、大きく百八十度転回し、すべてのものへの平等の眼を開いてくる。利己性が慈愛へ変わる。

自我という一点を軸として、大きく広がっていく。利己が愛他へ変わる。この転換は、修行の所でもう一度触れることになりますが、すばらしい転換ではありますまいか。

自分を愛したことのない人、自分の〈我(が)〉の強さになんらかの省察を持ったことのない人に、人の痛みがわかるでありましょうか。人の迷妄や彷徨への同情や理解が可能でありましょうか。

前に無相唯識の系統の安慧(あんね)という人のことをちょっと述べましたが、伝承によれば、安慧は、修行が完成すれば、〈末那識〉は消滅してしまうと主張していたといわれます。この話は、玄奘・基などの系列に伝えられている説ですのでどこまで正確なのか、私には判断がつきかねますが、とにかくそれが誰の説であれ、修行の完成時に、利己性の根元の〈末那識〉が消え去るとみます。そして、その見かたは自然な見かたのように思われます。修行が円熟すれば利己的自我愛などはどこかにふっとんでしまい、清浄な人間になるとするのがもっとも自然だからです。

ところが、護法・玄奘・基と継承されてきた学系では、修行が完成した時にも、〈末那識〉の当体は消え去らないといいます。〈末那識〉と呼ばれたこころの主体は、そのまま残り、百八十度転換して真実の自己に開眼し、利他平等の慈悲の根元に蘇生するというのであります。

利己性を悪とするならば、悪として働いた力そのものは、その悪を転じて慈悲愛他の高貴な精神へと躍進するのです。

八識という人間の構造は変わらないで、もとの相(すがた)のままです。しかも中身はまったく異なっている、低迷する未熟な人間も、完成された仏・菩薩も八識という人間の構造自体は変わらない。その立場をとるのが、護法・玄奘系統の唯識です。

〈第二能変〉としては、少し話をすすめすぎたきらいがありますが、利己性による認識の視野狭窄がこの能動的な変化の意味するところであります。

3　全自己の顕現——〈第三能変〉

〈第三能変〉は、〈前五識〉と〈第六意識〉です。こころの深さを探求する第一の方向からみる時は、〈前五識〉と〈第六意識〉は別の群に分類されておりました。おのずから性格がちがうからです。しかるに、底から上層へというこの方向では、〈前五識〉と〈第六意識〉とは一群のものとして〈第三能変〉と呼ばれます。厳密にいえばちがうのが当然ですが、なぜ一群にされているのか。

おそらく、深層と表層という基準によるのではなかろうかと思います。〈初能変〉も〈第二能変〉も、深層のこころの働きでありました。〈第三能変〉＝〈前五識〉〈第六意識〉は、表層のこころと理解されます。

自分で反省してみれば、そのこころの働きは大体自覚できます。また、表層ということの一つは、活動が切断されることがあるという意味も含んでいます。

活動がとぎれることがあるという点でいえば、〈前五識〉の場合など非常にはっきりしているわけで、どんな名画が眼の前にあっても、部屋がまっくらであれば見えませんし、どんなすばらしい御馳走を見せつけられても食べぬ限りは味覚とは関係がない。〈前五識〉は働かぬ場合がしばしばあるわけです。非常にはっきりしています。

〈第六意識〉のほうは、それに比べると、働いている時間ははるかに多いわけですが、それでも熟睡している時や、酒に酔っぱらって前後不覚に陥っている時など、働いているとはいえますまい。〈第八阿頼耶識〉〈第七末那識〉が持続的であるのに比べると断続的だというしかありません。そんな性格の共通性から一群にまとめて、〈第三能変〉というのでありましょう。

〈第三能変〉は、表層の意識でありますからそれだけ理解しやすく、その能変性もよくとらえることができるように思います。そして、もっとも能動的な性格がはっきりわかるのは〈第六意識〉でありましょう。

「精神力」などというのは、〈第六意識〉のもっとも第六意識的な一面です。

〈第六意識〉の能動的性質

〈第六意識〉は受動的には、感覚を通して外から入ってきた情報を判断する、「これは紅い花だ」「これは熱い」などと判断する知覚としての役割がありましたが、「判断」するという働き自体がすでに能動的な性格であるように、このこころは非常に能動性の強い働きをします。

判断し取捨選択して行動を決定していく。その時には、外から入る情報を、はねかえすなどの積極的な働きさえします。

「精神力で勝つ」とか「こころをきたえる」とか、私たちが、なんとなくこころ・精神・気力などと呼んでいるものはまず〈第六意識〉と考えてまちがいありません。

剣道でも柔道でも寒稽古は寒い。寒い寒いと思うと稽古着にきかえるのも寒い。〈身識〉と〈第六意識〉で寒い寒いと思っているわけです。しかし、覚悟をきめてしまえば――〈第六意識〉がこれをきめるわけですが――そうすると寒さが、かえって身のひきしまる緊張感へと変わり、快感にさえ変わります。外からの情報をはねかえすわけです。

これは、暑さ寒さなどの問題だけではありません。人生そのものへの態度ともなります。思わしくない人生の中で、つらいつらいと愚癡をこぼしていく人生もありますが、その同じ人生の中で、そのつらさに立ち向かっていく態度をみずから作りだすこともできます。

つらいつらいと逃げ腰でいると、ますますつらくなっていくものが、ひらきなおって、こっちからいどみかかっていく気になると、つらさがふっとんでしまいます。

「心頭滅却すれば火もまた涼し」(『碧巌録』)という有名な言葉の通りに、燃えさかる焔を涼しいと感じるまでにはいかなくとも、自分の人生の中での苦労を悠然と甘んじて受けとる境地は決して夢物語ではありません。

スポーツの練習を見ていると、何を好き好んであんなに泥まみれになって練習をしているのかと、はた目には見えますが、やっている当人は、みずから進んで泥まみれになり歯をくいしばってがんばっているわけで、同じことを他からの強制でやらされたら、とても黙ってはいますまい。

受身になるか能動になるか、そこに大きなちがいがあります。軸が百八十度変わっていく、そこに〈第三能変〉のとくに〈第六意識〉の面白さがあるようです。

いつも面白く思うことですが、私たちは電車や汽車の中でよく居眠りをしたり、寝台車などではぐっすり熟睡をしたりします。よく考えてみると実に不思議な現象です。もしあの車の騒音を自分の寝室でさせてみたらどうか。おそらく、うるさくてうるさくて、寝るどころのさわぎではないのではありますまいか。何ホーンあるのかしりませんが、地下鉄の音など大変な騒音です。なぜその騒音の中で快く眠れるのでしょうか。

そこに〈第六意識〉の〈能変性〉が働いているのではありますまいか。「電車の中は大きな音がするものだ。それがあたりまえの状態だ」という意識が働いている。最初からそのつもりでいる。そう思っているから騒音が騒音でなくなるのです。それに対して、寝室は静かであるべきだ、という思い込みがあります。だから、小さな音でもうるさいと思う。電車の音どころではありません。隣室のテレビの小さな音でも耳について寝られなくなるわけです。

音の大小は、決して測定器上の数値では判断できぬ面があるわけです。意識の〈能変性〉が深くかかわっているからです。

これは音だけの問題ではなく、絵や写真をみながら、能変性の構造というものは面白いものだなあと感心します。絵でも写真でも、あれは平面です。一枚の平らな紙やキャンバスにすぎないのに、私たちはその一枚の平面の中にさまざまな奥ゆきを読みとっています。

何百キロも彼方の山脈の姿を、平面の上に読みとっているわけで、それをなさしめているのは意識の〈能変性〉でしょう。決して、外にある平面を、平面のままに見ているのではないわけです。

仏像の前に立って何を見るか。その奥に何が見えるか。経典のうしろに何を読みとるのか。それは、向こうの問題ではない、おのれの問題であり、おのれの能変性の問題なのです。矛盾もあり背理もあり苦悩も当惑もある、それが私たちの実人生です。その実人生の中に、愚癡を生きるか、仏道を生きるか、その軸となるのが〈第六意識〉であります。

自分の人生をどのように転換していくか、そのきめ手になるのが、このこころであります。

〈前五識〉の働き

能動的な働きの最後に残ったのが〈前五識〉です。眼・耳・鼻・舌・身の五官ですから、外からの情報を受け入れるだけの一番受身性の強いこころと常識的には考えています。ではその受身性の強い五官と、能動的なこころの働きとの関係はどうなるのでしょうか。

受動と能動とは、はっきり線は引きにくいということを前に述べましたが、もっとも受身的と思われる五官が実は非常に能動的性質をひそめているのです。

〈前五識〉が働く時には、いつも〈第六意識〉も働く、それを〈五倶の意識〉というのだというのを前章でみましたが、〈前五識〉は、一番表面のこころではありますが、その底には、〈五倶の意識〉がありますし、そのうしろには〈第二能変〉が利己的に積極的に働いております。さらに、その底には〈初能変〉が深淵のごとく横たわって存在や認識を局限しているわけです。〈初能変〉〈第二能変〉というこころの能動性の上に、〈第三能変〉である〈前五識〉も働くわけですから、当然そこにも能動性が強く働いていることになります。しかもそれが非常にはっきりした形で出てくるのです。

自分の都合のよいように見る、都合の悪いものは見ない。そういうはっきりした形で出てきてしまいます。

外にある世界を、私たちはみな同じように見ていると思っているのが、実はそうではない。

自分のこころを自分が見ていく、そういうこころの実態がまざまざと見えるのが〈前五識〉かもしれません。

「あばたも笑くぼ」というのも、実際に笑くぼが見えているわけです。自然にそう見えているのです。恋人の作ってくれる料理はこれまたおいしいはずです。おいしくない料理を、無理しておいしいと思っているのではなく、ほんとうにおいしいのです。こころの深層にある愛情が、五官にそのまま影響し、おいしい料理に変えてしまうのです。

五官の対象となる世界は、一番単純明快ですから、主義・主張も人生観も思想も関係ないように思っていますが、どうもそうではないようです。

表層が実は深層かもしれません。

その人のこころの深みや趣味や考えかたが世界を作りかえている。

自分のこころの中にないものは、外にもない。見えも聞こえもしない。

それがもっとも表層のこころの神秘です。

野路を歩いていても、こころの中に豊かな植物の世界を持っている人は、路傍につぎつぎ美しい花を見つけて行きます。こころの中に美しい花を持たぬ人間には、なんにも見えない。同じ路を歩きながら、別の道を歩いているのと変わりません。

前に、入口が出口だといいましたが、表層の入口――そこを通ってしか外部の情報は入ってこないのですから、〈前五識〉は入口であり窓口でありましょうが、実はこのように背後の積極的な能変性が、もっともストレートに現われる、つまり出口でもあるようです。

何を見、何を聞いているのか。

それは、そこにどんな情報がとびかっているかの問題ではなく、その人間が何をどうみているかということにかかっています。もろにその人間があらわれているということです。いいものがあるかないかではなく、人がいるかいないかの問題だといってよいかもしれません。

「認識のためのいかなる第一の発端も、いかなる絶対的『ゼロ点』も存在せず、逆に私たちは先行する理解の『すでにいつでも』のなかへ投げ込まれているのである。発端のないことはあらゆる人間の認識にとって逃れられない制約である。」(『認識の哲学』)

これはボルノー(一九〇三〜)の言葉ですが、唯識の捉えてくる能変性もこれと異なりません。私たちの認識にゼロの認識はない。自分の存在を軸とした認識のみがあるのだ、自分の見たり聞いたりしている客観は、ほんとうは、自分のこころの幻影を見ているのだといえるのではありますまいか。
自分の存在のありようと無関係の認識はないように思われます。

4 見るものと見られるもの――〈四分〉説

私たちの、見たり聞いたりしている対象は、自分のこころである。自分のこころが外界のような顔をしてたち現われたもの、外界に似て現われたもの、それを見たり聞いたりしている、つまり、こころがこころを対象としている。それが唯識の認識論です。

私たちの認識は、その領域を超えることはできない。私たちの認識は、その枠組みの中にのみ成立している。

自分の存在のありようや、自我意識のいかんや、知的興味や関心や、身体的条件などのあらゆる条件が一体となって、一つの認識が成立するし、それ以上の認識は成立しえないと考えます。

自然科学が実験や観察の精度を深めているのは、人間の認識領域の限界への挑戦といえるかもしれません。またそれが、どれだけ深められ広められてきたことでしょうか。

しかし、それを承知のうえで、唯識はしかもなお、人間の認識は所詮人間の認識を超えることはできないと私たちの認識への自省を迫ってくるのです。

唯識の思想は、全体が認識論の反省ともいえますが、中でも〈四分(しぶん)〉説はその典型でしょう。

四つの認識構造

〈四分〉説とは、認識構造を四つの要素に分析してあきらかにしていこうとするものです。

四つの要素とは、

1　相分
2　見分
3　自証分（自体分）
4　証自証分

です。こころが働く時には、いかなる場合にもこの四つの要素が分析されるのです。紅い花を見ている時には、紅い花を見ている眼識にこの四つがあり、仏教のことを考えている時には、それを考えている第六意識にこの四分が分析されるのです。

中心になるのは〈自証分〉です。中心的位置にあるので〈自体分〉といういいかたもされます。〈識〉は、かならず対象を持って動いています。〈識〉が動いているということは、かならずなんらかの対象があって、その対象に働きかけていることを意味します。対象を持たない〈識〉はありません。

その対象が〈相分〉であり、対象に働きかけているのが〈見分〉です。

対象といっても、ものそのものではありません。〈識〉の上に対象として捉えられたものです。紅い花を見るといっても、私たちは紅い花自体を見ているのではなく、光の反射を「紅い花」と見ているわけで、それが〈相分〉であり、したがって、それは〈識〉の一面だといえるのです。私たちの認識力の範囲に入ってこないものは知ることができないからです。

〈見分〉のほうは、問題なく〈識〉の一面ですから、〈相分〉を〈見分〉が見るといっても、別々の二つのものが在るのではなく、一つの〈識〉が〈相分〉として対象的位置にあり、その〈識〉の一面が、〈見分〉として〈相分〉を見ているのだといえます。

〈自体分〉が分かれて、片方は〈相分〉となり、片方は〈見分〉となる、唯識では、それを「識体転じて二分に似る」といいます。あたかも外界と主観との二つが実在するようにみえる、それに似ている、しかし実は、そういう二つが別々に存在するのではなく、それは一つの〈識〉が、あたかも二つのもののようにたち現われている、それが私たちの認識の真の相だというのです。「紅い花」も自分の〈識〉、それを見るのも自分の〈識〉です。〈識〉が〈識〉を見ている。

それは、〈前五識〉に限ったことではなく、〈第六意識〉がものを考える、空想にふけるなどの働きをする時にも、「識体転じて二分に似る」という構造は変わりません。

腹が立って夜眠れないなどという状態を考えてみると、その構造が実によくわかりましょう。そこには、腹を立てる相手がいるわけではありません。自分一人でその相手を思い出し、その思い出した幻の相手に対して腹を立て、一人で興奮しているにすぎないのです。まさに一人相撲ですが、私たちの認識は、基本的にはそれと大差ないわけです。

その意味では、私たちの認識は、どこまで正しく対象を捉えているのか疑問です。

自分で映し出した〈相分〉を、対象そのものだと思い込んでいるにすぎないのが私たちの認識の真相なのですから、対象は、私たちの〈識〉の投影ということになり、自分で描いて自分で見ているという一人相撲が私たちの実態になります。

そのもっともよい例が、〈第七末那識〉の〈相分〉でしょう。

〈末那識〉の〈相分〉は「阿頼耶識の見分」だと前に述べましたが、難しいことはちょっとカッコに入れて、簡単に「自分」のことだと考えましょう。つまり、自分が自分を〈相分〉とするのが、〈末那識〉が〈阿頼耶識〉を〈相分〉とすることです。問題は、その時、私たちの〈末那識〉は、自分の願望にもとづく勝手な〈相分〉を描くことです。ここに生存している自分は、刻々に移り変わっていく自分です。固定した実体的な自分などというものはどこにも存在しない。誰からも力を借りないで生きているような自分もどこにもいない。それが自分の実態です。それにもかかわらず、〈末那識〉はそういう自分を対象としながら、そのままの自己を認識しないで、実体化し固定化し誇大化した自我像を作り出して、それを〈相分〉とし、それが自分の実態だと思い込んでしまうわけです。それは、〈末那識〉が描いた虚像にすぎないのに、それを本物だと信じ込んでしまう、実体化してしまう。そうして自己誤認が深まっていくのです。

それが〈末那識〉の〈相分〉〈見分〉であり、それはまた、もっとも典型的な〈相分〉〈見分〉の見本でもありますが、どの〈見分〉〈相分〉も程度の差こそあれ、同様の構造を持っているのです。

この場合、大切なことは〈相分〉と〈見分〉とは、一体不可分のもので、同時のものだということ

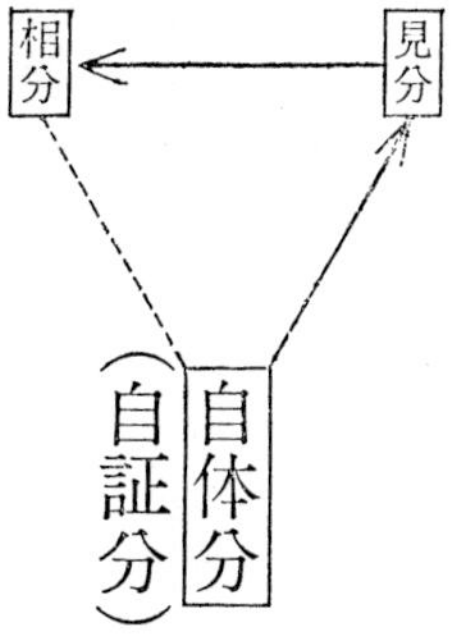

です。「心不可得」の章で、こころは〈能縁〉〈所縁〉の全体であって、〈能縁〉のみがこころではないとことわったのを思い出して下さい。

私たちがものを見るという時には、見る〈見分〉の働きと、見られる〈相分〉の働きとは別のものではありません。見られる紅い花があってそれを私が見る、客観が外界にあってそれを主観が見る、という仕組みではなく、「紅い花（相分）を見る〈見分〉」という〈相分〉〈見分〉が同時に成立していることです。あるのは、「紅い花を見た」という一つの事実としての認識行為があるのみであって、それを〈相分〉とか〈見分〉とか分析するのは、のちの反省によって把握されたものにすぎません。〈見分〉のない〈相分〉や、〈相分〉のない〈見分〉などというものはないのです。

しかも、〈相分〉〈見分〉は、〈自体分〉が二つに分かれてたち現われたものですから、一つの認識には、三つの要素が同時に働いていることになります。「識体転じて二分に似る」というのが〈四分〉説のうえからみていく、私たちの認識の構造的把握でありましょう。

> 〈相分〉として捉えられた対象も、それを捉える〈見分〉も、掘りさげてみれば所詮一つのおのれにすぎない。
> おのれが、おのれ自身で対象を描き、その対象をおのれが見る。おのれがおのれを見、おのれを聞き、おのれが描いておのれが考える。
> それが私たちの世界であります。

見分
相分
自体分
（自証分）

病気で、長い間高校を憧れつづけてきたから、ひとたび教室に入って見た黒板は感激的な黒板であった。その感激的な黒板は、彼女の描いた〈相分〉としての黒板です。他の誰にも見えない彼女の〈相分〉としての黒板です。それを凝視するのが〈見分〉です。その場合、〈見分〉も〈相分〉も前後なく同時にそこに感激的な黒板を見るという認識行為として働くわけです。

花を見る、黒板を見るという平凡な認識に、それを認識するという能動性がこのように想定される、〈相分〉〈見分〉〈自体分〉の三分の認識構造の示すところです。

私たちは外の世界を、そのまま知っているのではない。自分の総体を場として、自己独自の認識を構築しているのです。

このように考えてくると、私たちの認識は、この三分で説明がつくかと思われます。「識体転じて二分に似る」、それで、私たちがものを見たり聞いたり考えたりする認識の仕組みは完結するのではないか。

ところが、護法の学説を基本とする『成唯識論』では、さらにその奥にもう一つ〈証自証分（しょうじしょうぶん）〉というこころの働きを定立させます。前の三分に加えて、四分になるわけです。四分を立てるのは、護法学説の特色です。

なぜ、第四の〈証自証分〉を必要としたのか。

それは、第三の〈自証分〉を自覚する働きが必要だと考えたからです。

〈相分〉を認識する働きは〈見分〉です。その〈見分〉を自覚するのは〈自証分〉です。「紅い花」

が〈相分〉、「紅い花」を見ているのが〈見分〉。それだけで、認識は完結しているようですが、「紅い花を見ている自分」を自覚する働きが、たしかにその奥にあります。

本を読んでいる自分。その自分を知るもう一つの自分、それが、認識の中心という面からは〈自体分〉と呼ばれるわけですが、今度は、「自分を知る」という働きの面でいけば〈自証分〉になります。そこまでは、問題はありますまい。

「自分が自分を知る」という〈自証分〉だけで一応認識の構造は説明できます。しかし、それだけでは、護法は満足できなかったようです。それだけでは、〈識〉の働きの内面の営みが、不十分であります。

自分が自分を知る……その自分をさらに知る自分……そこまで掘りさげて、はじめて〈識〉の働きが完結する、そう考えざるをえなかったのだと思います。〈識〉が、外に向かって働き〈相分〉〈見分〉となった。その働きを〈自証分〉が証知した。それをさらに〈証自証分〉が自覚することによって、〈識〉が内面において、かかわりあう実態が捉えられうるのではないか。内面が内面を対象とするという〈識〉の働きの奥ゆきが、はじめて構造的に捉えられるのではないか。

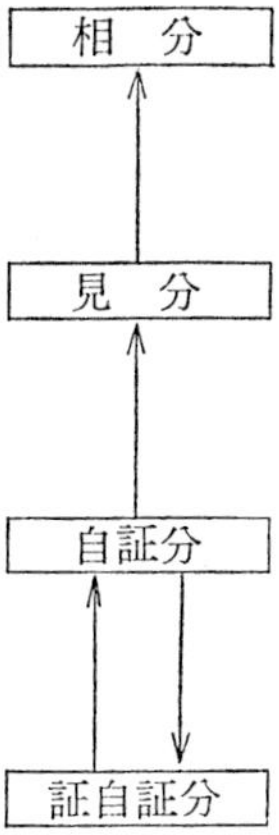

相　分
↑
見　分
↑
自証分
↑↓
証自証分

〈自証分〉と〈証自証分〉とが相互に対象化し認識しあうことによって内面の営為が、はじめて完結するものといえるのではあるまいか。〈自証分〉まで終わったら、内面相互の営みが消え去ってしまいます。

それならば、〈証自証分〉の奥にさらに第五の働きが必要なのではないか。第五の奥には第六、第六の奥には第七と無限に遡及しなければならないのではないか。そうも考えられるのですが、護法はその必要はないといいます。第四の〈証自証分〉と第三の〈自証分〉との相互のかかわりで〈識〉の内奥の働きを完結しうると考えていますし、それでよかったのだと私も思います。

以上が〈四分〉説の要点ですが、この四分が、私たちの一つひとつの〈識〉の活動にあるとするのですから、私たちの認識の仕組みを、いかに複雑なものとして捉えられているか、驚くべき精細な認識の分析といわざるをえません。

人間が、いかに自分の主観や先入観や価値観を持って、外界を見ているか。あるいは、仏教を学んでいるか。その徹底的な分析が〈四分〉説でありましょう。

今、私たちが、本を読むという行動の時、どれだけのこころが働いているのか、それを一つひとつ、いちいち説明する余裕が与えられていないのが残念ですが、〈前五識〉が働く時には三十四の作用の働く可能性を持っているといいます。そして、その一つひとつに〈四分〉が分析されるのです。本を見る〈眼識〉にも〈四分〉があります。その時〈眼識〉は、外界と接触する働き、それを〈触〉(そく)といいますが、その〈触〉の働きがあります。そしてそこにも四分があるわけです。外界に対して積極的に関心を持つ〈作意〉(さい)というのもあり、そこにも四分がある。煩悩があれば煩悩にも四分がある。すべての〈識〉の働きに、それぞれ〈相分〉〈見分〉〈自証分〉〈証自証分〉があるというのですから、私たちの認識活動を、いかに複雑な構造のものとして捉えられているか驚嘆せざるをえません。

5　こころと対象とのかかわり――〈三類境〉

私たちの認識を、認識する側から分析したのが〈四分〉説でした。私たちが見ているのは〈相分〉であり、その〈相分〉は〈自証分〉が転変して外界に似て現われたものでした。こころがこころを見ている、それが〈四分〉説です。

それを今度は、見られている認識対象の側から分析分類したのが〈三類境〉（さんるいきょう）という説です。〈四分〉説の場合は、見る側に立っての認識構造の分析でしたが、その際どうしても対象の分野にまで触れねばならなかったように、〈三類境〉は、対象の側の分析分類ではありますが、これもまたおのずから見る側との関係に触れざるをえないことになります。

〈三類境〉とは、三種類の境という意味で、次の通りです。

1　性境（しょうきょう）
2　独影境（どくようきょう）
3　帯質境（たいぜつきょう）

私たちの見ている世界を三つに分けるわけです。

理解の便利のために〈独影境〉からみていきますと、これは文字通り、完全に主観の勝手に描いた妄想です。主観の幻想です。そんなものは何もありはしないのに自分で勝手に描いた影です。仏典の中では、よく妄想の例として出されるものに「空華」があります。「空華」とは、眼の病気で空中にいろいろな花模様が浮遊する、あのことです。そんなものはどこにも存在しないし、見えもしない。しかし、当人にとってみれば、実在しているのと同じです。耳鳴りなどというのも同じでしょう。主観が勝手に描いた〈独影境〉です。

病的になれば種々の精神の異常となってしまう――よく知りませんが被害妄想などというのも、自分で勝手に対象を作り出して、自分一人で怖れている状態でありましょう。自分の影におびえる。もちろん、〈独影境〉も病的なものばかりではありません。芸術の分野などでは、むしろ積極的な大きな意味をもっていることが決して少なくないのではありますまいか。偉大なこころの影が、偉大な美を創造していくわけです。人間精神の豊かな飛翔――〈独影境〉の持つ大きな意味かもしれません。

童謡や童話の幻想的な世界も、〈三類境〉でいえば〈独影境〉でありましょう。耳の聞こえないベートーヴェンが、あの美しい田園交響曲を作りあげたのも、ベートーヴェンの豊かな精神の率直な表現であったわけです。

ちょっと変わっていて、しかも大切なことを指摘している〈独影境〉があります。それは「真理を対象とした独影境」というのです。「真理」を対象としているという点では、〈独影境〉ではありません。対象は厳然と実在しているはずですから〈独影境〉ではない。しかし、では、なぜそれが〈独影境〉なのかといいますと、私たちが真理という悠久不変のものを対象とする時、真理をどこまで認識しうるのか。むしろ、それぞれの人間が、自分の勝手な思いで、これこそが真理だとしているのではないのか。自分の主観や思量を投影して、その影を絶対化しているのではないのか。「真理を対象とした独影境」というのは、そういう真理のドグマ化を指摘しているのではないのか。

実は自分の狭小な思いで認識した幻想を、絶対化する、うっかりすると陥りやすい宗教のドグマ化への鋭い批判といえるように思います。

「わが仏、尊し」で、私たちは勝手な仏の映像や真理の幻想を、真理そのものと盲信していることはないか。

唯識の認識の反省は、仏とは？　真理とは？　という宗教の極限の課題にまで及んでいるといえるでありましょう。

如来――と仰いでいるその如来は、お前の勝手な思いの描いた〈独影境〉ではないのか。妄想ではないのか。

錯覚――〈帯質境〉

〈三類境〉の第三は〈帯質（たいぜつ）境〉です。「本質（ほんぜつ）を持つ境」ということで、「本質」はものそのものと考えておいてよいと思います。

もちろん、これまでにみましたように、ものそのもの、もの自体といっても、実はものそのものではなく、私たちの認識対象――〈相分〉として〈第八阿頼耶識〉の、意味づけの枠の中に取り込まれたものであることは大前提となりますが、とにかく、なんらかの意味づけや価値づけの枠の中に入った存在、それを〈本質〉と呼び、〈本質〉を持つ境という意味で〈帯質境〉と呼ばれるわけです。多少、複雑な条件がつけられていはしますが、とにかく、確とした対象があるという点で、完全な妄想や幻影である〈独影境〉とはちがいます。

しかし、ものそのものはあるけれども、主観の捉える対象は、対象そのものではなく、自分の意味づけが投影されたり、勝手な解釈が付与されたりします。

私たちの大部分の認識は、これに当たるのではないでしょうか。

手に持っている本、それが〈本質〉です。本として、しっかりとした実在感をもってそこに存在しています。それを対象にしながら、私たちは一人ひとりが勝手な本の映像を〈相分〉として描きます。反感を持つかた、興味を持つかた、さまざまな〈相分〉が描かれていきます。

一枚の写真――それが本質です。眼識は、一枚の平面の画像の色彩のみを認識します。すると、五倶の〈第六意識〉が、それをうけて平面にすぎない画像の中に、大きさや奥ゆきを見出していきます。立体感などというのは、〈第六意識〉が描き出していく〈相分〉です。

そういう意味では、錯覚や錯視現象も〈帯質境〉といえましょう。

空・無我なる自分を、実体化する〈末那識〉の働きは〈帯質境〉の典型かもしれません。実体化した自我像は幻影ですが、幻影の向こうにある〈阿頼耶識〉は厳然として存在しています。〈末那識〉がどんなに実体の幻を描いても、それによって〈阿頼耶識〉は不変的実体にはなりません。〈帯質境〉は、このようですから、なかばは主観に左右されますが、なかばは主観に動かされない実在感を持っております。

その意味では、主観のかげろうのような〈独影境〉とはかなり性格のちがう対境ということができます。

ありのまま――〈性境〉

順序は逆になりましたが、〈三類境〉の第一は〈性境〉です。〈独影境〉も〈帯質境〉も多かれ少なかれ主観に左右されるところがあったのに対して、これは、主観の影響を受けることのない対象です。

具体的には、器界＝ものと、仏智の対象となった真理をあげればよいのでしょうか。伝統的には禅定心の対象などもあげられますが、それは特別の場合ですので、いまのところこの二つに限って考えればよいと思います。

ものは、主観に支配されない。いろいろな見かたを主観のほうはしますが、もののほうは一向にその影響は受けません。好きな花と見ようと嫌いな花と見ようと、花それ自体は、人の気分にはかかわりなく存在しています。

真理も同じで、さきほどのように、私たちが勝手な臆測をしている真理は〈独影境〉かもしれませんが、真智＝仏智とか、真理と一体瞑合の智慧である根本無分別智の対象となった場合、真理は正確にそのまま会得されるので、これも〈性境〉となります。

如来は、凡夫の思いなどよせつけもしません。

真理については、何もいうべきことはないように思いますが、ものについては、一つ思い出しておかねばならないことがあります。それは、この場合も、対象となったものは、「もの自体」ではなく、〈第八阿頼耶識〉の〈相分〉として、私という人間のフィルターを通過して、捉えられているものだということです。

手に持つ一冊の本は、私たちの意思や感情によって左右されるようなものではなく、確固とした存在です。その意味では〈性境〉ですが、それが、ただ紙のよせ集めではない、「本」であると認識することは、「私」という存在の深底で、つまり〈阿頼耶識〉の領域で無意識裡にまずおこなわれている、という点を忘れてはならぬように思うのです。

〈性境〉といえば、主観の働きを完全に遮断した対象世界のように考えられるにもかかわらず、唯識仏教はそれを認めない。自己存在とまったくかかわりのない認識はない、というのです。

認識主観の方向から考えてみても、客観領域の方向から観察してみても、所詮、私たちの認識は、〈能変〉性のものであるといわざるをえないようです。

ひとりよがりの信心獲得も似而非悟りも、唯識仏教は認めないのであります。

以上、こころの深さを探究する方向と、深さの現れの方向との二つの方向から、受動と能動とのからみ合い重なり合った私たちのこころの実態をみてきました。

それは、人間の現実の認識であり自覚でありました。現実を自覚することによって現実を超え、より深くより豊かに生きる。そのための現実認識が、唯識仏教の目ざすところであります。

第七章　存在と迷いと悟り——〈三性〉説

仏頭（興福寺蔵）

人間は、八層のこころを持ち、そのこころの世界に住んでいる、それが唯識仏教の指摘する人間の真相でありました。

その同じ人間を、別の角度から捉える教説に、〈三性〉説というのがあります。

〈三性〉とは、

1　遍計所執性
2　依他起性
3　円成実性

です。これは、玄奘の翻訳語でして、別に真諦は、①分別性、②依他性、③真実性と訳していますが、ここでは、玄奘訳に随っていこうと思います。

ほかに、仏教で〈三性〉というと、善・悪・無記という価値判断の〈三性〉もありますので、まぎらわしい時には〈善等の三性〉〈遍依円の三性〉と使いわけます。

〈遍依円の三性〉は、認識と存在と悟りの問題を探究するものです。

〈遍計所執性〉は、執著と迷いの世界、〈依他起性〉は、かかわり合い支え合う縁起の世界、〈円成実性〉は、悟りの世界です。ふつう〈遍依円の三性〉といいますが、中心になるのは〈依他起性〉であり、〈依他起性〉の上に、迷いがあり悟りがあるわけですので、便宜上〈依他起性〉からみることにしたいと思います。

1　縁起の自己――〈依他起性〉

〈依他起性〉は文字通り、他に依りて起きる――種々の条件の結びつきによってそこにあるということで、一言でいえば私たちの現実態です。存在という点からいえば、多くの力によって支えられているという存在の実態です。言葉を換えれば、〈無我〉〈無常〉の真相です。いろいろな力に支えられながら、〈八識〉として生きている、〈八識〉とはその根底の〈阿頼耶識〉にもっともよく象徴的にみられるように、無限の過去が熏習集積された存在です。自分自身奥底に何がひそんでいるのか皆目見当もつかないような自己の集積によって、現在の自己が自己として存在している。無数の善悪の種子を熏習しており、それによって存在しているという点で〈依他起性〉です。

しかも、それに四分があるのです。〈阿頼耶識〉の相分は、種子・有根身・器界でしたが、その相分を対象とする見分あり自証分ありで、〈阿頼耶識〉が働いているということは、もうそれだけで多くの要素のかかわり合いが働いていることを意味しています。〈阿頼耶識〉には、五つの〈心所〉（＝触（そく）・作意（さい）・受（じゅ）・想（そう）・思（し））がいつも共働するといわれますので、〈心王〉と五つの〈心所〉とだけに限って考えてみても、その一つひとつに四分があるとすると、ずいぶん複雑な仕組みといわざるをえません。心王に、〈相分〉〈見分〉〈自証分〉〈証自証分〉の四つがあり、心王と共に働く五つの心所の一つひとつに同じように四分があるわけですからそれだけで二十四の〈四分〉が分析されていることになります。

自分が蓄えてきた総合的自己、しかも、その時の条件によってさまざまに千変万化する自己、それが〈依他起性〉としての自己です。

しかも、ことは〈阿頼耶識〉に限ったことではないわけです。〈阿頼耶識〉を一つの場として、〈末那識〉や〈意識〉〈前五識〉が働いています。それらが相互にかかわり合って働いているわけです。それだけではない、八つの心王に、それぞれ〈心所〉と呼ばれる働きが付随しています。善の働きの時には善の心所が、悪の行為の時には悪の心所が付随しており、そのすべてに四分があるのです。

私が生きているということは、そういう複雑なこころのかかわり合いの中に在るということです。善いこころも働きますが、煩悩も働きます。〈末那識〉のごときは、煩悩のかたまりです。しかし、すべてが縁に依って生起し、縁に依って消滅する〈依他起性〉です。自分の思いや願いで、自由自在になるようなものではありません。

自分の存在が縁に依って存在するごとく、善も悪も、有漏心も無漏心も〈依他起性〉です。

これは、私たちの〈識〉が依他性のものとして在るという存在論的ないいかたですが、同時にそれは、こういう複雑煩瑣な仕組みのうえに、私たちの認識活動が展開していることでもありますから、ものを見たり聞いたりするという単純な営為の中に、能変としての〈識〉の働きが十重二十重に重なり合いかかわり合っている、私たちの認識とはそういうものだと示していることでもあります。

見たり聞いたり考えたりする主体的〈識〉の存在や作用が〈依他起性〉であるのはいうまでもない

ことですが、〈四分〉〈三類境〉説を想い出すまでもなく、ふつう外界と考えている対象世界も、能縁の〈識〉と無関係ではない、三界唯識・一切法不離識ですから、これも当然〈依他起性〉、因縁所生のものとなります。

実は、唯識の系統でも、無相唯識の系統では、主体的な側の〈識〉については〈依他起性〉とすることは同じですが、所縁の対象は〈依他起性〉としないで、虚妄の映像＝〈遍計所執性〉だと考えるのですが、護法・玄奘と伝わった有相唯識では、主観の〈識〉が〈依他起性〉であるのと同じように、所縁の〈境〉である対象世界も、いろいろな力の仕組みによって〈境〉となって顕われている、主観と不可分だという点においては、やはり〈依他起性〉だというのです。一つの〈識〉が主・客二分に分かれるとする〈四分〉〈三類境〉説を踏まえて考えをすすめる限り、当然の帰結でありましょう。

認識活動の主体である〈識〉が〈有〉であるならば、客体である〈境〉も〈有〉でありましょう。

こころが、こころを見る。

その時、見るこころが〈有〉であるのと同じに、見られるこころ――対象＝相分も〈有〉であります。

もちろん、〈有〉といっても不変的な実体が実在するということではありません。仏教には、そんな実体はないのですから〈有〉といっても、因縁の結合によって存在している、主体的な存在として働いている、そういう形で存在しているという意味ですが、とにかく〈有〉として存在しています。対象もとにかく在る。〈有〉であります。

私たちが知覚し認識している世界は、それだけ深く、私たちの過去や人柄や、ものの考えかたや見かたにかかわっているのだという指摘でありましょう。

外界に私たちと無関係にものが存在し、鏡のようにそれを映すというような単純な形で私たちは存在し認識しているのではない。〈依他起性〉はそれを示すものです。

2 迷いの自己――〈遍計所執性〉

第二は〈遍計所執性（へんげしょしゅうしょう）〉です。

思いはからい執著するこころの情態です。何を、思いはからい執著するのか。

自分の認識を実体化し固定化し、それに執著する。それが〈遍計所執性〉です。

〈依他起性〉というのは、私たちの認識の構造です。十重二十重の能変性をもって私たちは対象世界を描いている。私たちは、自分の〈前五識〉によって対象を知り、〈第六意識〉によってものごとを思量する、それが私たちの知覚であり認識ですが、決して外のものを、そのまま鏡のように映しているのではない。見ているのは自分の主観の投影であり、こころの影です。受動が能動であり、入口が出口である。そういう構造をはなれた私たちの認識はない、それが〈依他起性〉の示すところです。

そういう仕組みにおいてのみしか私たちの認識はありませんから、私たちはそれを信じるしかない。だから、仕方がないのですが、〈依他起性〉としての認識世界を真実の認識として、実体化し固定化し実在化してしまう。種々の条件や要素による認識を、絶対化し、因縁所生であることを忘れてしまう。自分の見ているのが本物だと信じ込んでしまう。そういう傾向を持っています。それが〈遍計所執性〉です。

〈依他起性〉というのは、いろいろな多くの条件が結び合いかかわり合っているということですから、そこには何一つ、固定的なものも実体的なものもありません。

ところが、ふつう私たちはそれを反省もせず考えてもみない。見えるものは見える通りに外に実在している。そう信じています。

自分に対する実体化の作用を〈我執〉といいますが、その底に私たちはものに対する〈法執〉を持ち、そこに不変化の投影をします。それは〈我〉に対して起こす対象化・実体化と同じ働きを、ものに対してもおこなっていることです。

机といえば、「机」という言葉を私たちは頭の中に作りあげ、実在化し、それにこだわります。財団法人とか学校法人とかいう場合の「法人」などというのも、実に面白いと思います。「法人」といっても、そこに具体的にそういう特定の人間がいるわけではありません。建物や財産や人間やそれらをひっくるめて、法律上一人の人格のように扱われるのが「法人」です。「法人」という組織、唯識的にいえば〈名相〉〈名言〉が実在化されているわけです。公人・私人などというのも〈名言〉の実在化にほかなりません。主体としての人間は、ただ一人です。その一人の人間が、公人として行動したり私的資格で発言したりします。その時の、公・私も、そんなものがあるわけではないにもかかわらず、ちゃんと実在化され、義務や責任が課せられていくわけです。

それが一切諸法という時の〈法〉です。それを実体化してこだわるから〈法執〉です。

ひとたび「机」として作られ、「机」として買い、部屋に備えつけると、「机」という言葉、唯識でいえば〈名相〉が実在化します。実在化された〈名相〉は机以外のものとの区別をはっきり分別もしますが、同時に、思惟を拘束もします。「机」を腰かけとして使うとか、踏み台とするとかという発想が働かなくなります。「机」というような具体的なものの場合は、それでもまだ思惟の変換も比較的やさしいのですが、〈第六意識〉の観念的な要素になると、転換は困難になります。思惟が、固定化している〈法執〉のために、思惟が不自由に陥っているということ自体に気がつきにくくなります。観念が固定化してしまいます。私たちが、自分の思惟をふりかえってみると、意識の中でいかに言語＝名や映像＝相が大きな存在感を持っているか。それがいかに自分の意識活動を、精密に創造しているかということがわかるとともに、いかにそれが人間の意識活動を不自由不自在なものにしているかを知ることができましょう。

若い人たちに対して、「仏教」にどのようなイメージを抱いているかを質問してみますと、陰気だとか、古くさいとか、抹香くさいなどの印象がよくかえってきます。そして、その思い込みや先入観は、なかなか変わらぬものです。

それは〈相分〉を実体化し、実体化したものに執著していることです。そういうように〈相分〉と〈見分〉との間に形成される固定化・固執化・凝結化が〈遍計所執性〉ですので、〈相分〉と〈見分〉

との中間に出現する情態として、〈中間存境〉ともいいます。

私たちの現実は〈依他起性〉ですが、その〈依他起性〉が本来の因縁所生性を見失って固型化して捉えられている、そこを〈遍計所執性〉というのです。

したがって、それは〈依他起性〉の全自己が〈遍計所執〉的に存在していることです。

迷いの存在、顚倒誤謬の存在とでもいうのでしょうか。自分の存在の真相に覚醒しない状態です。

依他起性

3　悟りの自己――〈円成実性〉

〈三性〉の最後は、〈円成実性〉です。

〈円成実性〉は〈依他起性〉の真実に覚醒することです。

あるものを、あるままに知る。あるものの真実が円満成就する、そういうところから呼ばれる名前です。

「在る」のは、〈依他起性〉です。さまざまの力が相互にかかわり合い支え合って存在している。認識もまた無数の要素のからみ合いで成立している。それが私たちの世界の真相です。

それをそのまま自覚し認識してうけとることです。それが〈円成実性〉です。

ですから、〈円成実性〉といっても、特別の世界があるのではありません。〈依他起性〉の世界を、〈依他起性〉の世界とそのまま自覚することです。

その実体を、そのまま自覚すること、存在の真相に覚醒すること、それが〈円成実性〉です。

ですから、〈円成実性〉〈円成実性〉といっても、何か変わった世界が出現することではない。〈依他起性〉の現実存在がそのまま自覚されることです。〈依他起性〉が〈依他起性〉の本来にかえることです。

その時、〈依他起性〉としての自己は、〈依他起性〉=〈遍計所執性〉の自己から、〈依他起性〉=〈円成実性〉の自己に転換するのです。

善や煩悩のこころを持った自己が、そのままの姿でありながら、根底的にはしかもまったく異なった自己にたちかえるのです。

なんだ、たったそれだけのことかと考えられないでもありません。たしかに、頭で理解することぐらいは、それほど大変なことでないかもしれません。しかし、ほんとうにわかる――それを〈証〉というのですが、これはそう簡単に会得できるかどうか。大きな問題でありましょう。

『成唯識論』には、依他と円成とは、不一不異である――一体でもなく、別体でもない――といわれています。〈依他起性〉と〈円成実性〉とは、ちがうといえば、これほど大きなちがいはありません。自分の実態が見えているか、見えていないかのちがいですから、これほど大きいちがいはないのです。しかし、〈円成実性〉が見たものは何かというと、〈依他起性〉の相（すがた）以外ではないわけですから、少しもちがわないといえば、寸分もちがわないといわなければなりません。

おのれに迷うのが〈遍計所執性〉、おのれを悟るのが〈円成実性〉であります。

それでは、〈依他起性〉としての自分を、真に自覚するのはなんでありましょうか。〈依他起性〉の自己が、自分が〈依他起性〉であることを自覚できるのでありましょうか。

眼は眼を見ることができない。自分を取り囲む枠を知るのは、枠の中の眼ではない。枠を知るのは、枠を超えた領域に自分が立つのでなければならない。

つまり、〈依他起性〉の実態がわかるということは、〈依他起性〉を超越したものでなければならない。つまり、〈円成実性〉に立つことによって、はじめて、〈依他起性〉が見える、それが、自己に覚醒するということの神秘な構造でありましょう。

私たちは〈依他起性〉としての存在です。その〈依他起性〉の上に、妄想を描き虚像にとりすがって生きている。その現実を、私たちは離れ難い。その離れえぬ自分が、〈円成実性〉の証見によって、はじめて、離れえぬ自己の実態に出会う。〈依他起性〉を離れずして〈円成実性〉に出会う。〈円成実性〉に出会うことによって、かえって〈依他起性〉が〈依他起性〉に出会い、〈依他起性〉があきらかになる。〈依他起性〉が〈依他起性〉にかえる。

こういう自己の転換の神秘が〈三性〉説には説かれているように思います。

凡夫が凡夫のままで真の自己にかえる。迷いが迷いで悟りとなる。〈依他起性〉が〈依他起性〉を放棄することによって〈依他起性〉に成る。『成唯識論』には、

此の円成実性を見ずして、しかもよく、
かの依他起性を見るものには非ず。

と美しい言葉でつづられています。

自己が自己を知り、自己にかえるのは、自己を超えねばならない。自分の思量の中にうずまっているうちは自己はわからないのです。

第八章　迷いより悟りへ

迷企羅大将（新薬師寺蔵）

唯識仏教の大切なことは、現実の自己の自覚であります。自己の存在と認識と清浄性の面から現実の自己の真相を知る。それによって自己を超えることです。〈依他起性〉としての自己を、そのまま知る。そのまま知ることによって自己を転換していく。

それが唯識の修行であります。修行などというと、私は、気おくれがしてしまいますので「生きかた」と考えることにしています。唯識に触れながら、自分の生きかたを模索していくこと、それが唯識の修行でありましょう。

唯識の修行については、

1　どういう人が
2　どのような段階によって
3　どのように救いを見出していくのか

という三つの角度から捉えられています。

1　どういう人が

これは、前にもみましたように、護法の唯識は、人間の素質のちがいを前提として人間を考えていこうとします。むろん理念的には、一切の存在は平等であり、誰もが、永遠の真理の中に生かされておりますから、その点では、一切衆生悉有仏性（しつうぶっしょう）であり、一切皆成仏（かいじょうぶつ）であります。〈理仏性〉という面からみればそういうのだということを前にみました。

しかし、護法の唯識は、現実的には人間を五種類に分けました。菩薩定姓・独覚定姓・声聞定姓・不定種姓・無性有情でした。仏教を中心とした資質のちがいです。〈独覚定姓〉は、ちょっと一匹狼的存在ですが、みずから境地を高めていく人、〈声聞〉は、まじめにこつこつと仏陀の教えを聞いて修行をする人、ただ両方とも、自分の修行に専心していて、他の人の世話や面倒にまではこころに余裕がありません。〈不定〉は、最初は自分の修行に精一杯であった独覚・声聞などの人が、他の存在への思いを広げ、菩薩の修行へと転換していく資質の人でありました。〈無性有情〉は、仏教に興味も関心もなく、理解もない人です。仏教には、世間の利害損得とか、出世とか名声などの価値と別の価値に覚醒するという性質がありますが——空・無我などの——そういう世界にはまったく無関心な人たちがあるものです。悪人ではありません。立派な社会人であり、むしろ成功者である人もあるわけです。ともかくそういう人が、現実には存在するし、その存在を護法は無視しなかったといえます。「縁なき衆生」という言葉がありますが、〈無性有情〉もその一つかもしれません。〈無性有情〉をもし「縁なき衆生」の一つとしますならば、〈五姓各別（ごしょうかくべつ）〉のこの考えかたは、そこまで暖かい思いを広げているともいうことができるでありましょうか。

さて、そこで、この唯識の修行は、どういう人が修めるのか、修めうるのかといいますと、菩薩の資質のある人だといいます。

菩薩の素質があるもののみが、唯識の修行をなしうるというのです。

そう明言されてしまうと、私たちはちょっとためらわざるをえません。私は菩薩の資質を持っているという自信のある人は別ですが、そう考えうる人ははたして何人ありましょうか。

生命をかけて唯識を求めた玄奘三蔵でさえ、インドに在った時、その疑問を抱き観音菩薩に祈誓したと伝えられているくらいです。

日本でも、良遍が同じ疑問を書きとどめています。

自分はいったい、菩薩なのか、声聞なのか。

その自己評価は不可能でしょう。自分で自分を客観視する——それはなしうることではありません。客観的理解はできない。

もし内省的に自分をかえりみるならば、おのれこそ〈無性有情〉ではないか、という深刻な壁にぶつかるのがいきつくところではないのか。

考えてみれば、自分で自分を評価するということには、かなりの思い上がりがあるといえましょう。自分を〈菩薩〉だとすることに思い上がりがあるのと同じで、自分を〈無性有情〉だといい切ることにも、自分をそう断じうるという思い上がりが隠れているわけで、所詮自己計量には、自我意識やおのれのはからいが背後にひそんでいるといわざるをえないわけです。卑下するこころや劣等感に、思いがけぬ倨傲（きょごう）がひそんでいることがあるものです。

問題は、自分がどの程度の器量なのかを評価することではなく、なんでもいい、如来の教えを生きようとすることではないのか。

自分で勝手に、ああだこうだと理屈をつけることではなく、仏の示される道を一歩でも進むことではないのか。

明日からではなく、今から、誰かに誘われてからではなく、みずから、一歩前に出る思いを固くすることでありましょう。『成唯識論』に、「深固(じんこ)の大菩提心(だいぼだいしん)」をおこすというすばらしい言葉がありますが、自己評価などにこだわることなく、如来の教えに従ってスタートすることです。そこに自分の生きかたを見出すことです。

自分の器はどんなものなのか、いったいどうなるのか、そこはわかりません。わからないから、おのれの一命を仏に任すのです。

2　どのような段階によって

〈五位〉の修行

唯識は、修行の進歩を五段階に分けます。〈五位〉の修行といいます。煩悩を断じていく点から〈断道〉ともいいます。

「悟る」とか「信心決定(しんじんけつじょう)」するとか、「安心(あんじん)を得(う)る」などというのは、実は、非常に瞬間的なものです。「ああそうか」とめざめるのは瞬時の問題です。

仏陀の菩提樹下の大悟を見ても、明けの明星の輝くという一事をきっかけとして、成道をしておられます。

悟るとか救いとかいう精神的転回は、ゆっくりとだんだんとそうなるというわけのものではなく、あるとき突然電光のひらめくように完成するもののようです。ああそうか、といううなずきは一刻のものなのです。

「頓悟」という言葉がありますが、悟りとは元来そのようなものでありましょう。

しかし、唯識は〈五位〉という段階を追って、修行の進歩を捉えていきます。「頓悟」に対して「漸悟」といいます。だんだん熟していく。「漸」にすすむ面を唯識は大切にみていこうとするのです。

それには、二つの意味があるように思います。一つは、本来は瞬間的なものを、理解を確実にするために引きのばして説明をするという意味です。速度の速い運動を、スローモーションで見ると見えなかった部分が見えてくるというのと似たような意味といってよいのでしょうか。

もう一つは、修行自体に、ゆっくりとじわじわ熟成していくという一面があるということです。時間をかけて磨き込まれたものの美は、速成のものには絶対に見出せぬ底光りがあります。修行——仏教との接触も同じで永年の修行は、にわかには真似のできないものです。

唯識は、そういう角度から、修行を長い時間のうえにおいてみようとするわけです。

さて、〈五位〉とは、次の通りです。

資糧位(しりょうい)

加行位（けぎょうい）
通達位（つうだつい）
修習位（しゅじゅうい）
究竟位（くきょうい）

この五位を完成するのに、〈三大阿僧祇劫（さんだいあそうぎこう）〉かかるといいます。

〈阿僧祇〉とは、インドのアサンキャを音写したもので、無数という意味です。〈劫〉は時間の単位で、これも無限といってよい時間の長さです。〈劫〉については幾つかの説があるのですが、夢のような一つの劫説は次のようなものです。そこに四十里四方の岩がある。この場合どうせ夢物語ですから、一里の長さは何キロかなどという詮索はやめましょう。とにかく大きな岩石がある。そこに百年に一度、天人がやってきて絹のように薄い天（あま）の羽衣（はごろも）で、その岩石をさっとなでてかえる。そうすると、いくら絹のような羽衣であろうと、なでるのですから、岩が目に見えぬくらいかもしれませんが、とにかくすりへっていく。百年目に一度ずつ、天人の衣にさすられて、方四十里の岩が全部、すりへってしまった。それが一劫だというのです。これは『大智度論』に出ている劫説で、〈盤石劫（ばんじゃくこう）〉というのですが、夢物語として聞けば面白い時間論です。ですから、〈劫〉というだけでも、もう私たちの常識的時間の単位を超えているのですが、それが〈阿僧祇〉、つまり無数にあるというのですから、無限の時間の長さとしかいいようがありません。

〈五位〉の修行には、それだけの時間がかかるというのです。

その時間の長さを、一応、文字通り正直に受けとってみると、修行は無限だ、成仏はまず不可能だと思えといっているもののようです。

人間が成熟していくということが、非常に難しいことだということはわかりますが、これでは、とりつく島もないような思いがしてしまいます。

しかし、おそらくこれは、私たちの仏教に近づこうとする気持をつぶすためや絶望感を与えるためのものではありますまい。人間の迷執の深さや、利己的精神の深さ、そういうものへの自覚を喚起しているのでありましょう。

自分が見えるか見えないか。

それは時間でいえば〈三大阿僧祇劫〉に匹敵するだけの天地のちがいがある、そういっているのだと思います。

無着の『摂大乗論』に、無性（アシュヴァバーヴァ、四五〇～五三〇ころ）という人の注釈があるのですが、その中に、この〈三大阿僧祇劫〉を、「一刹那に摂在する」という語があり、無限の時間の長さも、覚醒すれば一瞬間のことにすぎぬという意味のことがいわれています。

〈三大阿僧祇劫〉といっても、物理的に、時計の針が何回まわったかというようなことを指しているのではなく、精神の内容の深さをいうのでありましょう。

禅の沢木興道老師（一八八〇～一九六五）は、「尻が、坐蒲に乗る間、それが、三大阿僧祇劫だ」といわれていましたが、尻が坐蒲（坐禅のための坐蒲団）に乗る間といえば、ほんの数秒間のことにすぎません。しかし、坐蒲の前に立った時の私と坐蒲にきちんと結跏趺坐した時の私とでは、自己の内容はすっかり変わっているはずで、沢木老師は、そこのところを端的率直に、そういわれたのです。

〈三大阿僧祇劫〉という時間の長さに辟易することなく、どこまでその道をすすめるのか、どうなるのか、そういう思量はしばらく捨てて、示される教えにしたがって歩みはじめる以外に私たちの道はないように思われます。

修行への出発――〈資糧位〉

〈資糧位〉は、修行の第一歩です。文字通り、仏教へのいろいろな身心の準備がすすめられる段階です。天才はいざ知らず、私たちは一つひとつ仏教を学び、一つひとつ歩いていくしかありません。

この位の修行で大切なのは、①善友、②作意、③資糧であり、④深く信解することだ、といわれます。

〈善友〉は、善き友であることはいうまでもありません。仏陀も、善き友を選ぶことの重要性を、あちこちで教えられていますが、人生を語り合うのが、仏教の友であるはずですから〈善友〉が第一にあげられるわけです。学生のころには、よく友だちと法の議論をしました。それが年をとってくると、しなくなります。いつまでも青くさいことをいう、そうあしらわれるようになります。

いつまでも、法の話のできる友だち、それが〈善友〉であります。

〈作意〉とは、こころが立ちあがることです。前にもみましたように、私たちのこころは鏡が前の品物を映すようなものではありませんでした。私たちの認識は、受動的と思われるような部面についても、実は能動性が強く働いていることをみてきました。私たちが、仏陀の教えに対する時も同じであり、おのれの人生に立ち向かうのも同じです。

どんなに善き友にとり囲まれていても、みずから立ちあがるのでない限り何ものも認識できない。聞こう、見ようというこころの立ちあがりのない限り、逢い難き仏法に、たとえ逢いえていても、所詮素通りになるのみでありましょう。

〈資糧〉は、あらゆる善行といえばよいでありましょうか。これは、積み重ねるしかありません。一つの真面目な思索が一つの真面目な行為を積み重ねるのですし、一つの思いやりが、一つの慈愛を積み重ねていくのです。

そして、この段階でのもっとも大切なことは、仏教への〈信解（しんげ）〉でありましょう。仏陀の教えへの信頼と理解を深めることです。

〈信〉という語は、唯識では、知・情・意のすべてを含む心理作用として大切に考えます。ふつう宗教というと、即座にまず連想されるのは、おそらく〈信〉という語ではないでしょうか。信仰・信心などの語が頭に浮かんできます。そして、〈信〉とは、無条件にある絶対の実在を信じるという、感情的性質が強く意識されるように思います。少なくとも知性とか知識などとは矛盾とまではいわなくとも、重なりあわぬものという先入観があるのではないかと思います。

しかし、「仏陀の示す真理」の所でも述べましたように、仏教の根底には、人生の真実を透徹した眼をもって看破するという知的な一面があります。この資糧位の〈信解〉の〈信〉も同じです。唯識の教えへの信頼、つまり、仏陀の示される教えへの澄明な精神的態度、それが〈信〉ですが、大切なことは、それが感情的・盲目的なものではないということです。〈解〉という理解がある。知の側面が含まれているということです。私たちは仏陀の教えを理解しようとしなければならない。わかろうとする、納得しようとする、それが、仏道への第一歩であります。

〈熏習〉説のところに、仏法を聞くという〈多聞熏習〉というのがありました。仏法を聞くというのは〈解〉の道でありましょう。

阿修羅——仏を求めて（輿福寺蔵）

自分がどのような存在なのか、どのようなものの見かたをしているのか。どんなに深い利己性をひそめているのか、そしてどんなに清浄な如来の慈悲の中にあるのか、それを聞き、それを理解していくこと、それが〈資糧位〉のもっとも肝要な修行であるように思われます。

善き友に逢うのも、こころを他に向けるのも、みな、方向は一つでありましょう。

『成唯識論』には、この段階に〈智慧行〉というのと並んで、〈福徳行〉の修行があげられております。仏教の修行の根本はいままでみてきたところからも想像されますように、〈智慧行〉が根本です。智慧をはなれた仏教はありません。が、それだけではいけない、〈福徳行〉を同時に忘れるなといっているのです。〈福徳〉とは何か、『論』では、六波羅蜜行――菩薩の修行の徳目のうち、最後の〈智慧波羅蜜〉以外、つまり〈布施〉〈持戒〉〈忍辱〉〈精進〉〈禅定〉の修行が〈福徳行〉だと述べています。〈福徳行〉の範囲は広いのです。

私たちも人を評するのに、「徳がある」とか「よくできた人」だとかいいます。はっきりした基準があるわけでもなく、何がとくにどうだと言葉ではっきり表現できないけれども、何しろそう呼ぶのが一番ぴったりとする人物評があります。人間にはそういう一面があり、それは、一朝一夕に出来上がるものではありません。しかし、人間にとってはたいそう重要な一面のように思います。

〈資糧位〉とは、人間のそういう一番基礎的なしかもとても大切な修行を積み重ねていく段階です。それで、時には〈資糧位〉を四十心に分けたり、三十心に分けたりいたします。一つひとつ詳しく説明する余裕はありませんが、生活のあらゆる所に修行の資糧がある、修行しようと思えば、いたる所に自己を磨く材料があるということを教えてくれますので名前だけでも並べておきましょう。

十信　信心・念心・精進心・慧心・定心・不退心・廻向心・護心・戒心・願心

十住　発心住・治地住・修行住・生貴住・方便住・正心住・不退住・童真住・法王子住・灌頂住

十行　歓喜行・饒益行・無瞋恨行・無尽行・離癡乱行・善現行・無著行・尊重行・善法行・真実行

十廻向心（じゅうえこうしん）　救護一切衆生離相廻向心・不壊廻向心・等一切仏廻向心・至一切処廻向心・無尽功徳蔵廻向心・随順平等善根廻向心・随順等観一切衆生廻向心・如相廻向心・無縛解脱廻向心・法界無量廻向心

これが四十心です。仏教の言葉はあまり使いなれぬものが出てきたり、見ただけでは意味のつかみにくいものがあったりして、私たち自身も困るのですが、この四十心についても、ちょっと意味のわかりかねる語もありますが、中には、「願心をおこす」などと使われているものもあり、なんとなく想像のつくものもありましょう。

探してみれば、いたる所になすべきことがある。それが〈資糧位〉です。

しかし、四十心の名前の並んでいるのをみただけでも、これは容易ではないと思ってしまいます。それで『成唯識論』には、そんな人間のこころのためらいを予想してでしょう、〈三種退屈心〉というのが説かれています。

第一は、「無上正等菩提は広大深遠なりと聞いて退屈する」――仏の教えは広く奥深いと聞いて、しりごみするというのです。第二は、「施等の波羅蜜多は甚だ修すべきこと難しと聞いて退屈する」つまり、六波羅蜜などの修行は苦しいぞと聞いて、おじけづいてしまうことです。第三は、「諸仏円満の転依は極めて証すべきこと難しと聞いて退屈する」――仏の証りを得ることは難しいと聞いて、仏道修行をあきらめることです。

これが〈三種退屈心〉ですが、『論』は、自心を練磨して勇猛なこころを失うな、そして退屈心に負けるなと教えています。

ただ一度の、二度とない人生。

しかも、仏教に縁を持ちえた一度の人生です。大切に一生を送りたいものです。

修行の深まり——〈加行位〉

修行の第二は、〈加行位〉です。

〈加行位〉の修行は、唯識観を深めるところです。

〈資糧位〉は幅広い修行でした。

〈加行位〉は、一切諸法が、こころの顕われであることを深く観察し、その自覚を深めていく、ただその一点に精神を集中する段階です。

ここは、①煖、②頂、③忍、④世第一法の四位に分けられます。

〈煖位〉では、私たちの見たり聞いたりしている対象は、こころの顕われたものであって、見えたり聞こえたりする通りに対象は存在するのではないという観法観察を深めます。「所取（対象）無なりと観ず」といわれています。

〈頂位〉は、それをまたさらにくりかえし深めていく段階で、「所取無」の観察を深めていきます。前にみてきたように、私たちを囲む世界は、自己のこころの影像です。ものがない、物質は存在していない、というのではありません。認識の対象として私たちが捉えているのは、自分の認識能力の範囲のものにしかすぎない。見えている通りにものが存在していると無意識裡にそう信じ切っているあらゆるものが、実はおのれのこころの影像だというのですが、その理が、なかなかほんとうにはわからないのです。やはり、見えている対象を、そのまま信じたい。ものを正確に見ていると思いたい。それが、私たちの人情でしょう。

理論としてはわかる。しかし、いざそれを自分の実際に見たり聞いたり考えたりしている現実にひきあててみると、なかなかすべてがこころの顕われだとは思えない。外にものが在る。それを五官を通して認識しているという常識的な二元論がふっきれないのです。

世親の『唯識三十頌』に〈加行位〉のことを、

現前に少物を立てて
是れ唯識性と謂えり

といっていますが、実にすばらしい一節だとおもわれませんか。「現前に少物を立てる」とは、対象化しているということでしょう。「一切諸法は、こころの顕われだ」という理屈はわかるのです。しかし、それはどこまでも知的に対象的に頭でわかったということで、自分自身の認識の本質としてはわからない。頭ではわかった、論理としてはわかったという域を出ないということです。

そこで、さらに観法がすすんで、第三の〈忍位〉になっても、所取の無がくりかえし修行として要求されます。見ているものは、見ている通りに存在しているのではない。所取はこころの顕われだ、それがほんとうに納得がいく。その修行がくりかえされます。

そして、ここで新しく加わってくるのは、認識対象が無であるのと同じく、それを対象として捉える能取も一つのこころの動きにすぎないことへの自覚であります。

所取の無、つまり対象は、所詮自分の描いた対象にすぎないことの確立と、能取の無、見る側の無が会得されていく段階です。

見られているのもこころ、見るのもこころ、それが真に会得できた——そこが〈世第一法〉です。仏教が真に体得できる直前の境地です。対象の無を知り、主体の無を知る。その意味では、もう仏法とは紙一重のところにまできています。所取無を、一つひとつ深めていき、それとともに能取の無も刻一刻おしすすめられていく、考えてみると、実に緊迫した心境の進展深化です。

ただ、〈加行位〉の残念なのは、「現前立少物（げんぜんりつしょうもつ）」すなわち、唯識の真理が理解の対象として、外に客観的にみられているということであります。

〈資糧位〉で、多くの善行を積み重ねていく、〈加行位〉で、万法唯識の自覚を深めていく。この〈資糧位〉と〈加行位〉で〈一大阿僧祇劫〉かかるといいます。

仏陀の教えというものは、なにかそういう、特効薬がすぐにききめが見えるような具合のものでは絶対なく、じっくりとわかっていき、じっくりと身に浸透していくようなところがあるように思います。「苦しい時の神だのみ」で、困った時にだけちょっと拝んでみようとか、説教の一つも聞いてみよう、そういう気持では、なにもわからぬままに終わってしまうように思います。

〈多聞熏習〉――教えを聞く、何回も何回も聞く。何回も何回も思惟する。何回も何回もおのれのこころに問う。そうすることによって、少しずつ少しずつおのれのものとなる。〈資糧位〉〈加行位〉は、それを示すものでありましょう。

ですから、〈二大阿僧祇劫〉かかるといわれるのです。

智慧を開く――〈通達位〉

仏教が自分のものになる段階です。〈加行位〉では、仏教の真理はまだまだ対象化されて理解されていました。〈通達位〉は、空・無常の真理がほんとうに自分のものになるのです。

〈資糧位〉では、仏教の真理を、〈信解〉しました。それが仏教と私との関係でした。信じる、理解する、それが仏教への第一歩でした。

〈通達位〉は『唯識三十頌』では、

　智、都(す)べて所得無く、爾(そ)の時に唯識に住す

といわれています。〈智〉と真理とが一体になる。『成唯識論』では、「真如を証する」といわれており、〈信解〉より〈証〉への深化がはっきり示されています。〈信〉より〈解〉へ、〈解〉より〈証〉へ、仏法とのかかわりが深まっていくのです。唯識に〈住〉するの〈住〉などという言葉も、すばらしいではありませんか。〈住〉するとは、その中にいることです。一体です。海の見える丘の上に〈住〉

んでいるということは、「丘」と「住む人」とが一体になっていることを意味します。あんなすてきな所に住みたいなと思っている間は、一体ではありません。如来の真理を恋慕することではない。如来の真理の中に住することです。

それは空・無我のおのれに成ることです。頭でその論理を理解し解釈することではなく、空・無我のおのれにかえる。自分が本来の自分に成る、本来の自分に出逢う、自己が自己になる、ことです。この時には、真理と自己とが一体となりますので、その智慧を〈根本無分別智〉と呼びます。勝手なはからいは消え去ってしまいます。

そして、空・無我が証得されますので、それをさまたげていた一部の〈煩悩〉は、その瞬間に消え去ります。煩悩を〈分別起〉(=後天的)のものと、〈倶生起〉(=先天的)のものとに分けるのですが、空・無我の理がわかった瞬間には、〈分別起〉の煩悩は一挙に消える。道理が、ほんとうにわかれば、まちがった見かたや考えかたはふっとんでしまいます。〈分別起〉の煩悩は、知的な煩悩ですから、ここで知的な迷いは消え去るわけです。岩石が粉砕されるように瞬時に崩れ去るのです。知的な会得がここであるわけで、仏教の教えがわかったといえる一つの大きな転換点です。強い言いかたをすれば、ここからがほんとうの仏教の修行、仏教の生きかたともいえましょう。ここまでは真似事であったといえるかもしれません。

空・無我の理がわかって、そこではじめて真理にもとづく生きかたが創造されるわけです。質的にここで人生の質がすっかり変わるともいえましょう。

〈第六意識〉が、〈妙観察智〉、〈第七末那識〉が〈平等性智〉として働きはじめるのも、この〈通達位〉からです。〈第六意識〉も〈第七末那識〉も、完全に〈妙観察智〉〈平等性智〉になるのではありません。そうなるのは一部ですが、とにかく人のこころの中に、清らかな〈智慧〉が働きはじめるのです。〈第六意識〉〈第七末那識〉が変化しはじめるわけです。

〈通達位〉以前を〈凡夫〉といい、以後を〈聖者〉と呼びます。

また、ここで、一つの区切りがつきますので、一つの証として〈分証〉ともいいます。

一つの区切りがつきました。空・無我の真理が会得されました。

しかし、人間というものは、しぶといものです。〈倶生起〉の煩悩はびくともしません。〈種子〉を貯えている〈阿頼耶識〉もまだ変化しません。身体に浸透したその煩悩は、依然として人のこころを攪乱します。〈或伏或起〉といわれますが、なかなかうまい表現です。

そこで、〈根本無分別智〉の修行が、くりかえしおこなわれなければならなくなります。

〈倶生起〉の煩悩を正し、習性をなおしていく修行が、つづいておこなわれます。

智慧を磨く――〈修習位〉

〈修習位〉は、身にしみ込んだ〈倶生起〉の悪習を正していく期間です。〈二大阿僧祇劫〉かかるといわれます。修行を全部で〈三大阿僧祇劫〉かかるとしたうえで、〈二大阿僧祇劫〉というのですから、修行の三分の二は〈修習位〉になるわけで、いかにわかってからの修行が大切かということが窺われます。「わかる」ということと、「それを生きる」ということとの間の、無限の隔たりを示すものともいえましょう。

空・無我の真理がわかった。自分のほんとうの相（すがた）がわかった。その意味では〈通達位〉で、すでに自己の転換がおこなわれています。自分はそこで生まれかわっています。

しかし、長年の習癖は急にはなおりません。身にしみこんだ煩悩は、現実の生活の中で、油断をすればいつでも顔を出してきます。空・無我の真理が、具体的な生活の中で試されなければならないのです。仏教がわかって、それからのほうが実ははるかに大変なのです。頭でわかるのではなくて、身に備わらねばならない。日常の生活の中に、生きてこなければならない。

〈二大阿僧祇劫〉かかるというのは、その大変なことを時間の長さで表わしたものです。

〈通達位〉では、時間の長さに触れませんでしたが、「わかる」「さとる」などの心的転換は、一瞬の出来事です。〈加行位〉〈通達位〉は、一息の長さにすぎません。

一息の長さにすぎませんが、人生には、そういう圧縮された、中身の充実した一瞬というものがあるものです。

さて、この〈修習位〉は、十段階に分けて、〈菩薩の十地（じゅうじ）〉とも呼ばれます。人間が一歩一歩、成熟し深化していく過程です。

〈十地〉とは、次の通りです。

一　極喜地（仏教がわかって歓喜する）
二　離垢地（こころの垢が洗われる）
三　発光地（智慧の光が輝きはじめる）
四　焔慧地（智慧がますます冴えてくる）
五　極難勝地（清浄な智と凡夫の智が一体となる）
六　現前地（清浄な智慧が現われる）
七　遠行地（清浄な智慧が、世間智を遠く離れて働く）
八　不動地（清浄な境地が身に備わる）
九　善慧地（優れた智慧で法を自由に説く）
十　法雲地（無辺の智慧が完全に備わる）

十の段階を一歩一歩深めていくのですが、初地から第七地までに、一大阿僧祇劫かかり、終わりの第八・第九・第十の三地で、一大阿僧祇劫を要するといいます。

〈資糧位〉には、四十の段階があるのを見ましたが、その四十位を修行するのが一大阿僧祇劫ですから、この〈修習位〉の十段階に、二大阿僧祇劫をかけるということが、いかに「生きる」ことの難しいかを語っているように思います。

さて、初地から第七地までと、後の三地との間の根本的なちがいはなんでありましょうか。

それは、〈有功用〉と〈無功用〉ということです。〈功用〉とは、自覚的な努力のことですから、自覚的な努力を必要とするかどうかのちがい、それが、初地より第七地までと、後の三地とを分かつポイントになることを意味します。初地より第七地までは、精進努力がともないます。

第八・第九・第十地は、なんの努力も要しない自然の状態で、おのずから仏教を生きているというちがいであります。

これは、仕事やスポーツや芸ごとなどの上達のあとをふりかえってみると、すぐ納得のいくことです。意識してやっているうちはまだまだ本物ではありません。ほんとうに熟練してくると、意識しないでも、努力しないでも、自然に身体が動いている。

仏教も同じことで、第七地までは、一生懸命努力しなければならないのです。〈任運無功用〉の境地に到るには、長い長い練磨が必要なのです。磨きあげ練りあげられて、はじめておのずからの境涯に入りうるのです。

それでは、そこで修行が完結するのかというと、そうではないわけで、〈任運無功用〉になってから、さらにまた一大阿僧祇もかかるというのです。

仏教がわかるのに一大阿僧祇、わかってから身につけるための努力が一大阿僧祇、身に備わってから、完全に清浄な自己になるのに、またまた一大阿僧祇かかるのです。

人間に対しての深い真剣な観察から生まれた修行論といえましょう。

時間の長さを借りて、人間のこころの迷謬の深さを表わしたのです。

浅より深へ、
有功用より無功用へ、
仏道の修行ははてしなくつづくのです。

では、何を修行するのか。

十地を一貫するのは、こころでこころを見る、という唯識の真理を、具体的な生活の中で検証し、深めていくことです。万法唯識の真理を、事実の中にたしかめ、掘りさげていくことです。この修行を根幹として、『成唯識論』では、一地一地にそれぞれの修行の項目をあてていますので参考のためにあげておきます。

初地　布施（ふせ）
二地　持戒（じかい）
三地　忍辱（にんにく）
四地　精進（しょうじん）
五地　禅定（ぜんじょう）
六地　智慧（ちえ）
七地　方便（ほうべん）
八地　願（がん）

九地　力(りき)
十地　智(ち)

少々、機械的に並べたという印象がしないでもありませんし、一地では一つの修行しかしないようにみえますが、かならずしもそうではありません。とくにそれを中心とするという程度で、一地は一地で、十の修行の徳目が全部含まれているのです。

いわゆる菩薩の十波羅蜜と呼ばれるものです。

空・無我の真理と一体になるのを〈根本無分別智〉といいましたが、無分別智が具体的事実のうえに生かされていく場合は、〈後得智(ごとくち)〉といいます。〈根本無分別智〉と別のものではありませんが、現実の生きかたの中に生きて働いているのです。十波羅蜜でいいますと、第六地の〈智慧〉は〈根本無分別智〉を、第十地の〈智〉は〈後得智〉を表わすといわれます。

さて、修行がすすむにしたがって、自己が変わっていきます。それを唯識では、〈転依(てんね)〉といいます。〈依〉とは「所依」のことで、つまり自分自身です。自分自身が転換していく。わからなかった自己が、わかった自己に変わっていく。

仏教の修行は、自己が別人になるのでも、超人になるのでもない。わからなかった自己が、わかった自己に変わっていく。そういう修行です。

存在の真相や、認識の現実がわかった自己に転換していく。それが、唯識の修行の根幹です。

唯識の修行の重要なものに、〈五重唯識〉観というのがあります。これは、慈恩大師基の『大乗法苑義林章』の「唯識義林」という章に説かれ、日本の学僧たちも大切にしたものですが、〈五重唯識〉とは次のような修行です。

一　遣虚存実観（遍計所執性は妄想にすぎない、依他起性と円成実性は実在する）

二　捨濫留純観（一切はこころの現われであるから、境を捨てて心を留める）

三　摂末帰本観（相分・見分はその根本になる自体分の現われであるから、末を本に摂める）

四　隠劣顕勝観（心所を隠して心王を顕わす）

五　遣相証性観（相用を持つ依他起性より本質本性を証する）

詳しくみれば、この〈五重唯識〉観のみで、唯識全体を語ることが可能なくらい、いろいろな問題に触れているのが、この特長です。一は、遍計所執性より依他起性・円成実性へ、二は、境より心へ、三は、相・見分より自証分へ、四は、心所より心王へ、五は、相より性へというように、外より内へ、末より本へ、と求心的に万法唯識の思想を深めている様子が歴然とみられます。

六波羅蜜行・十波羅蜜行、あるいは四摂法（布施・愛語・利行・同事）なども修行の徳目として説かれており、大乗仏教の豊かさをみることができますが、なんといっても唯識の修行の中心は、万法唯識の道理の自証であります。

その〈修習位〉の最後に、百劫の〈相好行〉というのが説かれています。相好を整える修行で、百劫それにかけるというのです。

これは、実に面白い修行です。姿や形を整える修行で、これが終わってはじめて〈究竟位〉に入ることになるのです。〈相好〉というのは、仏には三十二相八十種好あるといいますが、仏のみの備えた姿で、大きい特徴が三十二、小さなものが八十ある――たとえば、頭の中心部がもりあがっている、額には白い毛が渦をまいている、手にはすべての衆生を救いとるために、指と指の間に水かきのような膜がある、などなどの三十二相八十種好あり、〈相好行〉はそれを作りあげるのです。外形的な姿形のための修行が最後に課せられているのです。

仏教の修行などというと、智慧の修行とかこころの修行とか、内面的なもののみを考えますし、実際にまた修行の根本にそれがあることはむろんのことです。

しかし、この〈相好行〉は、姿形までそれらしくならなければ駄目だといっていることです。それらしい姿勢、それらしい風貌が備わらぬうちは、内面も本物ではないといっていることではないでしょうか。真似もできる、それらしくふるまうこともできる。しかし、それが真にそれらしくなるのは、内面の熟成が不可欠でありましょう。が、外貌もまた外貌で磨かれなければならないのでありましょう。

清浄・安楽の世界――〈究竟位〉

修行の最後に説かれるのは〈究竟位（くきょうい）〉です。修行の完全円満な完成です。その意味では、これはもう修行の範囲に含めて考えるべきではありません。修行はもうすっかり終わっているのです。もちろん、思想の立場や性格はちがうとしても孔子の「心の欲する所に従って、矩を踰えず」というのと、まったく同じ心境でありましょう。修行とか、自己を求めるとか、そういう何か一生懸命にこころを励まし努力をしていく、そういう境域は完全にのり超されています。菩薩の十地でも、すでに第八・九・十の後の三地は、任運無功用で故意の努力をする必要はない。必要とするような次元は超越されていました。「おのずから」であるという点からいえば、後三地は〈究竟位〉とほとんど同じ地点に到達しているともいえます。菩薩の後三地は、内容的にはほとんど〈究竟位〉と変わりませんが、ただ修行つまり因より果へという方向を踏まえているという点はちがいます。それに対すれば、〈究竟位〉のほうは、果そのものの境地が直示されているわけです。

悠然として、自然な生きかた。そこにおのずから仏教が具備されているのです。

種々な学派が対立して仏陀の真意を求めて議論を展開していた時代に、仏陀が弟子に向かって、「外は雨なのか」と問われた。いったいその言葉は、神聖なのかどうなのかということを議論しているところがあります。

説一切有部は、たとえ仏陀であろうとも、すべての言葉が常に神聖とはいえまい。「外は雨が降っているのかどうか」、そういう日常の会話にまで神聖性を広げるのはゆきすぎだと考えました。日常会話と真理を語る説法とは区別すべきだというのであります。有部には、現実に即してものを考え、ことを実行するという性格がありますが、これもその一例でしょう。

しかし、理想的にものを考えようとする大衆部では、仏陀は存在自体が神聖なのだから、たとえ説法でなくとも、その一言一句のすべてが神聖だと考えるべきだと主張しました。

一言一句、一挙手一投足、思わずしておのずから仏教の究極にかなっている、それが〈究竟位〉ですから、「外は雨か」というなにげない日常の対話も清らかだということもできるわけです。

〈通達位〉の所で、ここで仏教がわかる、自分の真実の相がみえてくるのだといいましたが、ここで総体的に考えてみると、私たちと仏教とのかかわりかたには三段階あるといえるように思います。第一は〈信〉〈解〉する、信じ理解するという段階でした。つまり〈資糧位〉〈加行位〉です。第二の段階は〈証〉するという〈通達位〉です。〈証〉の段階に到るまでは、ほんとうの意味では仏教はわかっていない。知的な理解であったり、真似事にすぎないといいました。前にも述べたように〈証〉を経験したところから、はじめて信心の決定が真になり、無所得の修行や坐禅が可能になるのです。むろん、〈信〉〈解〉は無用不必要だというのではありません。〈信〉〈解〉を通らないで〈証〉に到達することはないわけですから、最初の〈信〉の一念が大きな意味を持つことは当然です。「初発心便成正覚」――最初のスタートが即修行の極点だというのも、〈信〉という第一歩がどんなに重大な意味を持っているかを表わしたものでしょう。道に迷った。その時は無駄をしたように思いますが、あとでふりかえってみたり、高所からみおろすと一つとして無駄なものはない。〈信〉も〈解〉も入口でありながら、究極点である。人生には、一つとして無駄はない。それぞれの位置で、それぞれの意味を持っている。そういう一面があります。けれどもやはり〈信〉〈解〉は真似事の段階で、やはり

〈証〉の経験からが本物になるといわねばならないように思います。

〈証〉に到って、はじめて仏教の世界に入りうる、信心が本当になる、修行が本物になる、坐禅が坐禅になる。

仏教が「わかる」――といういいかたには問題があるかもしれませんが、とにかく「わかる」という一つの段階を通過せぬ限り、ほんとうの意味での仏教の生きかたははじまりません。

この〈証〉が、私たちと仏教とのかかわりの第二の段階でありましょう。このあとただちに〈修習位〉に入るのですが、これは基本的には、〈証〉の延長上にあるといえます。〈証〉を確認し、くりかえしくりかえし〈証〉の智を磨き、〈証〉を深めていく。それが〈修習位〉ですから〈証〉の延長です。

そして、第三の段階、仏教との最後のかかわりかた、これこそが、この〈究竟位〉であります。真理と自分とが完全に一体化したところです。かかわりというういいかたもすでに使いえない境域です。人そのままが真理であり、真理そのままがそこに立つ人そのものであります。仏がわれであり、われが仏である、そういう世界です。

『唯識三十頌』には、

　此は即ち無漏（むろ）界なり
　不思議なり　善なり　常なり
　安楽（あんらく）なり　解脱身（げだっしん）なり

といわれています。

もう漏れ出るものはないのです。真底から美しいのです。一生懸命努力して漏れ出るものを防いでいるのではない、漏れ出るものがないのです。

平安で、安楽です。もう束縛する何ものもありません。

〈通達位〉が、仏教のわかる段階としますと、〈究竟位〉は、仏教が身に備わる究極の地平だといえましょう。清らかで安らかな世界です。心の欲する所に従って、矩を踰えない境地です。

中でも、「安楽」というのは、なんというすばらしい語であろうかと思います。宗教の最後の最後の一点は、その「安楽」にきわまるのではないか。それ以外の何ものでもないのではないか。私はそう思います。

お金があっても安楽、貧しくとも安楽、出世をしようとしまいと安楽、生きることも安楽、そして死ぬこともまた安楽、それが宗教の極致でありましょう。

一生懸命精進努力する、それにはそれなりの大切な意味のあるのはあたりまえのことです。仏陀ご自身も、晩年には「背が痛い」と口にされることがたびたびあったようですが、それでも最後まで旅をつづけ、説法をされ、修行を絶やされませんでした。八十歳で入滅される時にも「精進せよ」と最後の説法をされています。

それを何回も何回もかみしめたうえで、それでもやはり最後は、安楽であるといわねばならぬように思います。まさに仏頂面をした仏陀、めそめそした仏陀、忿怒にもえた仏陀、そんな仏陀はどこにもありません。穏やかな、安らかな、そして清らかな仏陀のおすがた、そこにこそ究極の安楽が具現しているといえるのではないでしょうか。

師小川弘貫先生から「坊さんは法を説く者だから、眉間にしわをよせたり、しかめっ面などしていてはいけない。師匠からそう教えられたものだ」という話を聞いたことがあります。〈究竟位〉とはそういうものでありましょう。

『成唯識論』の最初には、〈帰敬頌〉と呼ばれる四句二十字の偈文がかかげてあり、そこにすでに「楽」のことが説かれています。作者は誰かという学者の意見もありますが、いまはそれはどうでもよいことで、重要なのは、その短詩に何が表わされているのかということです。その詩は、

唯識の性において、満に分に清浄なる者を稽首す。
我今この説を釈して、諸の有情を利楽せん。

というものです。いろいろ詮索をすると複雑な問題もありますが、要点は「清浄」と「利楽」でありましょう。ちゃんとそこに「楽」がうたわれているのです。

「清浄」については、「満清浄者」と「分清浄者」と二つあげられています。「満に分に」というのは、二つに分けて読むのです。「満清浄者」とは、完全円満・清浄無垢な人で、〈究竟位〉に到達した者ということで、具体的には仏陀です。「分清浄者」とは、〈通達位〉に達した菩薩のことです。空・無我の真理がわかり、〈第六意識〉と〈第七末那識〉とは、部分的にではありますが清浄になるからです。知的な誤謬はのり超されるのです。〈究竟位〉の「無漏界」という語はそれに対応するもので

ありましょう。

また、〈帰敬頌〉の「利楽」は、〈究竟位〉の「安楽」に響いているのではありますまいか。「利楽」「安楽」、なんともいえないぬくもりを感ずるのは私のみでありましょうか。

清らかさとぬくもり。

これが唯識を貫く二本の柱だともいえるように思います。


さて、〈究竟位〉に到ると、〈前五識〉も〈第八阿頼耶識〉も、それこそ清浄な転換を遂げます。濁りのない智慧が開けてきます。〈前五識〉は〈成所作智〉に変わり、〈阿頼耶識〉は〈大円鏡智〉に成ります。〈第六意識〉と〈第七末那識〉とは、すでに〈通達位〉でその一部分は〈妙観察智〉〈平等性智〉として清浄な働きをはじめていましたが、〈究竟位〉ではもちろん完全に転換をおわります。八つの〈識〉が四つの〈智〉に変わるのです。ものの真実の相が見えてくる、他の存在への清浄な慈悲が内よりあふれてくる。識が智に変わる。見えなかった識が見える智に変わるのです。それを、〈転識得智〉といいます。さきほどの〈転依〉という語と重ねあわせてみると、「転」という字の味わいの深さをつくづく感じます。

「転」というのは、もとのままではないということです。変わることを意味しています。しかし、「転」というのですから、まったく別のものになってしまうことでもありません。変わりながら変わらない、変わらないままに変わっていく。矛盾しながら矛盾しない。そこに「転」という字の味わいがあるように思います。

人間が変わるのではない。別人になるのではありません。同じだという点からいえばまったく同一人物です。しかし、変わったという点からいえば、完全に変わっているのです。

〈転識得智〉というこの厳粛な人間の変革をみながら、私はふと将棋の駒を想い出します。連想という点では、あまり適当でないかもしれません。不謹慎だと叱られるかもしれませんが、よく似ているように思うのです。それはどの駒も「金」に成るということです。もちろん「王」や「金」は別ですが。「金」に成ると、もとの駒の性質は性質でちゃんと持っていながら、しかも「金」でもあるわけで、変わって変わらぬ、変わらぬままに変わっているという「転」の情態がとてもよく似ているように思うのです。一つの駒の転換、一人の人間の転換、面白い共通の性質ではありませんか。「歩」も「金」になるのです。囲碁には囲碁で人生があるといいます。将棋にもまた人生があるように思います。もっともこれはどこまでも無責任な連想でありまして、人間の〈転識得智〉は、主体的に自分の行為によってはたすのですから、将棋の駒が、完全に受動的なのとは根本的にちがうというべきでしょう。そのちがいは根本的です。

しかし、それを十分承知のうえでなおまた別の面からみると、根本的にちがいながら、それでも結構似ているところがあるともいえるのです。それは、〈転識得智〉という人間の変革は、もちろん主体的な修行の結果、はじめて会得するものであることはいうまでもありませんが、しかしながら、そ

転識得智

前　五　識──→成所作智
第六意識──→妙観察智
第七末那識──→平等性智
第八阿頼耶識──→大円鏡智

の「転」の体験がおのれの中に顕現するのは、諸条件の成熟によっておのずから起きる——つまり、自分の願いや希望や憧れで顕現するのではなく、向こうからやってくるということです。受身だということです。その面をみれば、ふたたび、将棋の駒との類似性をみなおすことができるかもしれません。自分の意志で変わろうとするのではないが、しかも変わるのです。

仏陀は十二月八日未明、明けの明星をみて大悟成道されました。仏陀の都合や計画でそうなったのでないことはいうまでもないことです。向こうからおとずれてくる。宗教的廻心の根本には、そういう一面のあることは否定できないことでありましょう。

〈三性〉説の一段に、「この円成実性を証見せずして、しかもよく彼の依他起性を見るものにはあらず」という一節がありました。〈依他起性〉というこの現実の自己のありのままの相(すがた)がみえるのは、〈円成実性〉によるということでした。〈依他起性〉を〈依他起性〉として真に自覚できるのは、〈依他起性〉を超えた〈円成実性〉であります。私たちは、自分の力で、自分を知るのではないのです。自分を超えることによって、かえって、自分の真相が見えてくる。しかもその感動的瞬間は、決して自分の希望によらない。〈信〉〈解〉を積み重ねていく時、あるとき向こうからやってくる、「転」という言葉には、そういう汲めども尽きぬ滋味がひそんでいるように思います。

〈三性〉に焦点を合わせてその「転」をみますと、次の図のようになるでありましょうか。

〈遍計所執性〉＝〈依他起性〉の自己が、〈円成実性〉＝〈依他起性〉の自己に転換するのです。存在そのものをあらわし、〈識〉の働く場自体である〈依他起性〉は、中心にあって動きません。動かぬ

〈依他起性〉がそのままでありながら、妄の〈依他起性〉から、真の〈依他起性〉に「転」じていくのであります。

そのままでありながら、そのままを超えていく。汚濁の自分が、清浄の自分に成る。超人に変身するのでも、自己が崩壊していくのでもなく、あるままの人間が、あるままの人間として、しかも百八十度転換するのです。

（悟れる自己）
依他起性＝円成実性
↑
依他起性＝遍計所執性
（迷える自己）

禅宗では、「大死一番」とか「自己を放擲せよ」などという語が使われますが、変わらないで変わるという「転」の事実をいうのでありましょう。「大死」とか「自己放擲」は、徹底した自己否定です。ここのいいかたでは、変わる一面であります。しかし、ほんとうに死んでしまったり、自己喪失になってしまったりするのではありません。それでは、無意味です。徹底的に自己否定を求めながら、それを通しての真の生の確固とした会得を示しているのです。

さて、〈転識得智〉にしろ、〈転依〉にしろ、(A)自己が少しも変わらないという一面と、(B)根本的に変わるという一面と矛盾した両面が捉えられていることは、非常に重要なことをいっているのではないでしょうか。

〈八識・三能変〉の面からいえば、〈八識・三能変〉という構造は少しも変わらない、これがAの面です。ではまったく変わらないのかというと、しかも何もかも変わるというBの面がそこに厳然としてあるわけです。それを〈識〉の一番肝要な面で捉えれば、〈究竟位〉に到達した場合、利己性の根元である〈末那識〉はいったいどうなるのか。安慧と護法の対照的な説として前にみたところです（一八九ページ）。

無相唯識の代表である安慧は、〈究竟位〉は清浄なのだから、染汚の〈末那識〉があるはずはなく、当然消滅すべきだ。したがって、〈究竟位〉には〈末那識〉はなく、「仏果は七識」のみだと主張しました。話の筋としては正しい判断だといえましょう。〈末那識〉というのは、四煩悩と密着したところであり、人のこころを汚す〈識〉でありました。〈第六意識〉は、純粋な善意にみちている時にも、その底にあって無意識裡にその善意を汚していく、そういうやっかいな〈識〉でありましたから、円満清浄な仏果位〈究竟位〉に到った時には、当然完全に払拭されるべきだといえます。安慧の説はその意味では、理にかなった常識的でわかりやすい説です。

一方、護法は、〈究竟位〉に成ったからといって、〈八識〉としての人間の構造自体は変わらないということも前にみました。人間を〈八識〉として捉えることが誤りでないとするならば、〈仏果位〉であろうと〈究竟位〉であろうと、〈八識〉としての人間そのものは少しも変わらない。変わるのは、構造ではなく、性質であり、働きです。自分自身のみしか認識の範囲を持たず、しかも思いあがった固定観念に拘束されていた〈末那識〉は、消滅するのではなく「転」換して、自己の虚像を捨てて、空・無我の自己の真相に覚醒し、しかも、自己自身のみに向かっておのれを愛しつづけたところが、まさに百八十度転換して他の存在への敬虔な慈愛へと変わる、つまり、凡夫も〈八識〉、仏も〈八識〉だというのです。それが護法の主張でした。

また、〈阿頼耶識〉のもう一つ奥に、清浄な〈阿摩羅識〉とか〈如来蔵〉と呼ばれるこころがあり、その力によって人間は清浄になりうると主張する学派もありましたが、『成唯識論』はこれも否認します。〈八識〉こそが人間の真相である。その一部の欠如も加増も不要である。〈八識〉の人間が、〈八識〉そのままで転換し完成する、そう理解すべきだというのです。

〈八識〉の人間は、そのままで転換し究極をきわめる。自己は自己のままで、そのまま本来の自己を完成するのです。

仏教が、ほんとうに身に備わるのです。

3 どのように救いを見出していくのか

さて、ここに一つの大きな難問が残ってしまいます。

それは〈究竟位〉に到るには、三大阿僧祇劫という無限の修行の期間が課せられるということです。それを文字通り無限の期間と考えると、これは、人間が一代や二代で到達できる期間ではないということになります。生まれ変わり死に変わり、生死のくり返しを限りなく積み重ねるのでない限り、〈究竟位〉には到達できない。仏法が身に備わらぬというのです。それは絶望的な時間の長さです。

現に誰がいい出したことなのかはっきりしませんが、無着は〈通達位〉に到達しているが、弟の世親は〈加行位〉の入口にまで達したにすぎないといいます。無着は『摂大乗論』の著者、世親は『唯識三十頌』の作者で、共に唯識仏教の大成者であるということは前にみた通りです。この二人を措いて、唯識を語ることはできない、それくらい重要な位置にある人です。ところがその二人にして、なおかつ〈通達位〉に達するか達しないかだというのですから、それを真面目に考えれば、唯識は実現不可能な夢物語にすぎぬことになります。

しかし、それでは困るわけです。過去の一つの思想体系として無責任に眺めていく分には、それでもかまわぬかもしれませんが、生死を究める仏教としては、実現不可能では困ります。

むろん、永い修行が不可欠であることは当然のことでありましょう。しかし、この気のとおくなるような時間の長さを説く真意は、前にもみましたように、人間のこころの深さ、その浄化の難しさを、時間の長さをかりて説いたものだと思います。

人間のこころが、どのような仕組みでできているのか、それがどのように動き、どのように浄化されるのか、その実態を長い時間の中に引きのばして、その動きを克明に描いた、それが三大阿僧祇劫であると受けとることは許されるのではありますまいか。

「この身、今生に度せずんば、いずれの生に向かってかこの身を度せん」といいます。今のこの身に救いがないならば、無用ともいえるのです。

ヴァイオリニストの辻久子さんは、練習の時、ふつうのテンポで演奏すれば十分ばかりで終わる章節を、二時間にも三時間にも引きのばして、つまりそんなゆっくりとした異常なテンポで稽古をするといっておられました。大変苦しい稽古だそうですが、そうすると、いい加減にひくことができず、一音一音、正確にはっきりと曲のねらいが理解できるようになるというのです。つらい稽古だけれども、それをしないと気がすまないといっておられました。

三大阿僧祇劫！　その無限の長さは、人間のこころの向上を、ゆっくりとしたテンポにおきなおして、大きく拡大して示されたものではないのでありましょうか。

その逆が、前述の『摂大乗論』「無性(むしょう)釈」の、「摂在一刹那(しょうざいいっせつな)」、三大阿僧祇劫を一刹那の中に包摂するというあれです。良遍はこの語を非常に大切に受けとめているのですが、人間のこころの転換に焦点を合わせて考えてみると、それは一刹那のこととはいえ、その質の相違からいえば、三大阿僧祇劫のひらきがあるともいえるでありましょう。

私たち自身が、〈通達位〉や〈究竟位〉に達することは容易でないかもしれません。しかし、自分を省みることはできます。自分の空・無我の実態を自分なりに知ることはできます。自分の認識の構造を反省することはできます。自分の中にどんなに根深く利己性がひそんでいるか、それを自覚することはできるでありましょう。

ほんとうの自己を知る。現実の自己のありのままを知る。

空・無我の自己に覚醒する。「そうか」と膝をたたいてうなずく。また、過去の業を背負う自己の重みがそのまま受領される。はっきり線を引かれたような認識の限界の実態がそのまま自覚される。

〈末那識〉によって歪曲された自己のありかたが、まざまざと照らし出される。

これが自分だ。

これがほんとうの私の相だ。その自覚を深めることはできるでありましょう。唯識が示すのはそこであります。

その自覚が真に定まった時、私たちはおのれの真の人生を見出しうるのではないでありましょうか。人真似ではない。人に左右されるのでもない。かけがえのない真の自己です。これこそが、私の人生だという、深い根底に根ざした落着きと悦びの人生が、そこに顕現するのではないでしょうか。そこに安楽の世界が現われるのではありますまいか。

仏教は、二千五百年の歴史の中で多くの学派や宗派をうみ出してきました。

その中で唯識仏教は、人間の心理や認識の構造をとくにテーマとし、それを論理化し組織化して深く追究した一つの流れでありました。

自己認識を精密にし深化することによって、ありのままの自己を把握し、自覚を深めること、そこにこそ真の〈証〉があり真の人生があると主張します。

自己とは何か。

それは、時に峻烈であり、時に妥協を許さぬものでありましょう。

しかし、その自己認識こそが自己転換の最要の道であると唯識は語るのです。

功を急ぐことはありません。相手はどうせ三大阿僧祇劫です。

驕ることなく、仏陀の教えの一つひとつを大切にしながら一歩一歩生きていきたいものであります。

参考書（入手しやすいもの）

佐伯定胤『新導成唯識論』法隆寺　昭和十五年（復刻　昭和四十七年）
太田久紀『選註成唯識論』中山書房　昭和五十二年
　以上は漢文
島地大等『国訳成唯識論』（国訳大蔵経・論部10）国民文庫刊行会　大正九年（復刻　第一書房　昭和四十九年）
佐伯定胤『国訳摂大乗論』（国訳大蔵経・論部10）同前
『大乗仏典15・世親論集』中央公論社　昭和五十一年
長尾雅人『摂大乗論・和訳と注解』講談社　昭和五十七年
鎌田茂雄校注『法相二巻抄』（日本思想大系15・鎌倉旧仏教）岩波書店　昭和四十六年
花田凌雲『唯識論講義』興教書院　大正四年（復刻　名著出版　昭和五十一年）
安田理深『唯識三十頌聴記』福井相応学舎　昭和五十三年より継続刊行中
太田久紀『観心覚夢鈔』大蔵出版　昭和五十六年
平川　彰『八宗綱要・上』大蔵出版　昭和五十六年
鎌田茂雄『八宗綱要』講談社学術文庫　昭和五十六年

大西良慶『心㈠〜㈤』　北法相宗京都清水寺　昭和四十四〜五十四年
大西良慶他『唯識講話心の構造』　北法相宗京都清水寺　昭和五十一年
大西良慶『生かされて生きる心』　講談社　昭和五十六年
高田好胤『心第二集』　徳間書房　昭和五十一年
高田好胤・村松剛『対談仏教と日本人』　角川文庫　昭和五十三年
服部正明・上山春平『認識と超越』（仏教の思想４）　角川書店　昭和四十五年
横山紘一『唯識思想入門』　第三文明社　昭和五十一年
横山紘一『唯識の哲学』　平楽寺書店　昭和五十四年
井上円了『仏教心理学』　哲学館　明治三十年（復刻　群書　昭和五十七年）
『講座大乗仏教８・唯識思想』　春秋社　昭和五十七年
広松渉・吉田宏晳『仏教と事的世界観』　朝日出版社　昭和五十四年
三枝充悳・岸田秀『仏教と精神分析』　小学館　昭和五十七年
深浦正文『唯識学研究・上下』　永田文昌堂　昭和二十九年

著者紹介

太田久紀（おおた　きゅうき）

昭和３年　鳥取市に生まれる
昭和26年　駒沢大学文学部仏教学科卒業
　　　　　仏教学・唯識学専攻
現　　在　駒沢大学講師
著　　書　『選註成唯識論』（中山書房）
　　　　　『観心覚夢鈔』（仏典講座，大蔵出版）
　　　　　『お地蔵さんのお経』（中山書房）
　　　　　『凡夫が凡夫に呼びかける唯識』（大法輪閣）
　　　　　『仏教教学と道元』（講座道元，共著，春秋社）

仏教の深層心理　〈有斐閣選書〉

1983年1月30日　初版第1刷発行
1995年5月30日　初版第10刷発行

著　者　太田久紀

発行者　江草忠敬

〔101〕東京都千代田区神田神保町 2-17
発行所　株式会社　有斐閣
電話　(03) 3264-1315〔編集〕
　　　3265-6811〔営業〕
京都支店　〔606〕左京区田中門前町 44

印刷　明石印刷・製本　稲村製本所

仏教の深層心理（オンデマンド版）

2003年5月30日　発行

著　者　　太田　久紀
発行者　　江草　忠敬
発行所　　株式会社 有斐閣
〒101-0051　東京都千代田区神田神保町2-17
TEL 03(3264)1315（編集）　03(3265)6811（営業）
URL http://www.yuhikaku.co.jp/

印刷・製本　　株式会社　デジタルパブリッシングサービス
URL http://www.d-pub.co.jp/

AB269

ISBN4-641-90327-1　　Printed in Japan